Ксения Собчак
Вместе с Антоном Красовским

Против всех

Ксения Собчак
Вместе с Антоном Красовским

Против всех

Издательство АСТ
Москва

УДК 821.161.1-9
ББК 84(2Рос=Рус)6-4
С 55

Мнение редакции может не совпадать с мнением автора.

Фотограф Николай Бирюков.

Собчак, Ксения.

С 55 Против всех / Ксения Собчак; вместе с Антоном Красовским. — Москва : Издательство АСТ, 2018. — 320 с. — (Проект Ксении Собчак)

ISBN 978-5-17-107085-4.

Эта книга — попытка нарисовать портрет нашей большой страны и окрестностей. Портрет, конечно, вышел не очень объективный.

Я постаралась максимально интересно и субъективно рассказать о том историческом периоде, в котором мы все сейчас живем. О самом ярком, абсурдном, героическом и нелепом. В общем, о нас!

УДК 821.161.1-9
ББК 84(2Рос=Рус)6-4

ISBN 978-5-17-107085-4

ОТ АВТОРА

Слоган моей предвыборной кампании — «Против всех». Именно так называлась строка в избирательном бюллетене, отмененная на федеральных выборах в России еще в 2006 году. Слова «против всех» не следует понимать буквально: я вовсе не против, я за. Думаю, что те мои соотечественники, кто предпочитал ставить галочку в графе «Против всех» — до тех пор, пока в 2006 году она не исчезла из избирательных бюллетеней — тоже поступали так не со зла или из раздражения. Они желали себе, своим близким и своей стране честного и спокойного будущего. И не их вина, что люди, чьи имена красовались тогда в избирательных бюллетенях, не вызывали никакого желания это будущее им доверить.

Когда я училась в МГИМО, на одной из лекций мне рассказали, что «ложный выбор» — один из распространенных приемов полемики. Злокозненный спорщик предлагает незадачливому оппоненту выбирать из плохого и очень плохого, будто бы третьей возможности вовсе не существует и ничего хорошего в мире вовсе нет. И вот тут неплохо бы дружелюбно улыбнуться, умыться снегом (если зима) и сказать: «Ах, да бросьте! Оглянитесь вокруг: мир такой разный, в нем живут всякие люди, странные и милые, смешные и удивительные. Я уверена, что все мы сможем между собой договориться ради нашего общего будущего. Я не стану выбирать между разными сортами этой вашей заскорузлой ерунды. Я выбираю хорошее». — «А где же это хорошее?» — «Да вот же!»

Теперь вот какой интересный вопрос: откуда мне, бывшей ведущей прославленного телешоу «Дом-2», об этом известно? Что такого я в своей жизни повидала, чтобы быть настолько уверенной в том, где добро, а где чепуха и постыдная клоунада? Будучи человеком публичным и даже, не побоюсь этого слова, известным, я немало ездила по нашей стране и встречалась со многими людьми. О своих поездках и встречах я написала и наговорила сотни тысяч слов в журналах, книжках, соцсетях, теле- и радиоэфирах. Одним из проектов было мое долгое сотрудничество с журналом «Сноб».

В 2014–2016 годах мы с Антоном Красовским сделали серию больших репортажей, в которых попытались нарисовать портрет нашей большой страны и окрестностей, какими мы их тогда увидели. Портрет, конечно, вышел не очень объективный — слегка шаржированный, как мы тогда любили. К сожалению, в нем почти не нашлось места трудовым свершениям, повседневному героизму, самоотверженным попыткам простых людей сделать жизнь чуть-чуть светлее вопреки всем придуркам, которые этому мешают. Мы сосредоточились на том, что принято называть «проблемными темами». Украина, Крым, клерикальное мракобесие, фальшивый патриотизм, невежество и суеверия, национализм и ксенофобия... Сейчас, глядя из 2018 года, я должна отметить, что мы каким-то чудом нащупали главные болевые точки, очень важные для диагностики того, что сегодня происходит в стране. Ставить сам диагноз мы с Антоном не обучены, этим пусть занимаются эксперты. Зато мы знаем, что если нажать вот тут, то больной кричит и строчит жалобу в Роскомнадзор; это уже немало.

Задним числом, конечно, все мы умные и прозорливые. Гораздо сложнее увидеть главное, находясь внутри исторического процесса. Работая над этим проектом, мы встретились с разными людьми, о которых тогда и понятия не имели, как суждено им проявить себя в последующей истории. Кто мог знать, что симпатичная и боязливая девчушка из кабинета в крымской прокуратуре, по имени Наталья Поклонская, через пару лет станет депутатом Госдумы, притчей во языцех и затычкой в каждой бочке? Кто-то, может, догадывался — хоть и не знал наверняка — что другой наш собеседник, шоколадный магнат Петр Порошенко, станет президентом сопредельного государства. А уж о том, куда приведет судьба всех этих русопятых философов и ряженых казачьих атаманов, доморощенных колдунов и борцов за возрождение духовности, мы и сейчас загадывать боимся.

Исторический период, памятником которого — окей, возможно, маленьким сувениром — стал наш проект, пока не завершен. Чем он закончится, зависит в том числе и от читателей этой книги, от ее героев и авторов. Мы очень надеемся, что все будет хорошо. В какой-то момент читатель может оказаться перед выбором: какое выражение придать лицу, столкнувшись с очередной беспардонной провокацией авторов или ознакомившись со спорными, не слишком глубоко продуманными точками зрения, которую высказывают их герои? Мое предложение такое: добрая, понимающая улыбка. Злость и раздражение ничем нам не помогут, а только помешают в работе.

А работы, надо сказать, у нас с вами невпроворот. Пока же просто желаю вам приятного чтения.

Ваша Ксения Собчак.

Часть первая

УКРАИНСКАЯ ВЕСНА

4 сентября 476 года варварский вождь Одоакр заставил римского императора Ромула Августа отречься от власти. В этот день закончилась история Древнего Мира и началось Средневековье.

Историки вообще обожают задним числом определять точные даты, когда закончилась одна эпоха и началась другая. Что касается недавней истории нашей страны, тут у каждого есть свое мнение о том, с какого момента все пошло не так. Февраль 1917-го? Октябрь 1917-го? Август 1991-го? Октябрь 1993-го? День голосования на президентских выборах 26 марта 2000-го года? «Болотный протест» 2012-го?

На мой взгляд, один очень важный перелом в жизни страны произошел на рубеже 2013 и 2014 года. Как ни парадоксально, события, ставшие этому причиной, произошли не у нас, а в соседней стране. Однако именно в России с этого момента начался странный исторический период, когда почему-то никто не вздрагивает, услышав слова «радиоактивный пепел», «распятый мальчик» или «пармезан под бульдозерами». В Украине, где берет начало этот исторический перелом, его принято называть «революцией достоинства». У нас чаще рассуждают о «хунте» и «майдане», вкладывая в эти слова не совсем понятный говорящим смысл.

В феврале 2014-го мы, конечно, и представить себе такого не могли. Нам просто хотелось разобраться, что же происходит в соседней стране, откуда вдруг повеяло свежестью исторических перемен. Если бы мы тогда знали о Донецком аэропорте и Иловайском котле, о судьбе Олега Сенцова и сгоревших заживо в Одессе — может быть, в этом очерке было бы чуть меньше веселого паясничанья и чуть больше тревоги о будущем.

Но тогда мы не знали.

(Март 2014)

Завтра була вона

Ксения Собчак и Антон Красовский провели на Украине неделю в феврале. В тот момент ни они, ни те, с кем они встречались, еще не могли предположить, как стремительно развернутся события в ближайшем будущем.

— Сука. Ты вот настоящая москальская сука, — Красовский, чуть не плача, натягивал клоунские казачьи шаровары, привезенные Собчак с киностудии им. Довженко. — Я ж сказал тебе днем, что на Грушевского сейчас напряженно, «Правый сектор» что-то там мутит. А тебе лишь бы поиздеваться над свободолюбивым украинским народом. Вот замочат тебя в сортире, узнаешь.

— Почему поиздеваться? — Собчак невозмутимо нахлобучила на голову торжественный пластиковый венок, видимо, украденный костюмерами с Байкова кладбища. — Наоборот, я как сестра приехала поддержать украинских братьев и в знак уважения надела национальный костюм. По-твоему, если бы ты на Болотную пришел в картузе и с гармонью, тебя побили бы? Если ты считаешь, что традиционные ценности могут кого-то унизить, то тебе в итоге точно наваляют. И справедливость восторжествует. Не ссы, поехали.

У ЦУМа машина уткнулась в пятиметровый обугленный айсберг. В айсберг вмерзли горелые покрышки, доски, ящики, обрезки труб. Из его вершины торчал флаг Евросоюза.

Внезапно нахлынувшая на Украину теплынь подтачивала ледяную гору. Растворенная в воде сажа черным потоком уходила вниз по Крещатику, а вместе с ней исчезала и революция. Казалось, сама земля противилась протесту.

«Идите пахать, сеять, доить», — кричали людям почва, река, копченый туман. «Янукович уже надоил», — отвечали природе люди, продолжая мастерить заграждения.

Москали решительно пошли вдоль вымокших палаток, около которых хмурые тени помешивали что-то в дымящихся котелках. То и дело из-под навеса выныривал какой-нибудь усатый сыч в такой же, как у Красовского, шутовской папахе.

— Ой, Оксаночка, и ты до нас? — пожелтевшие усы в нечистом камуфляже засеменили рядом с Собчак. — На Майдан подывытыся прыихалы? Малахов вже був, йому сподобалося (*понравилось. — Прим. ред.*).

Ксения Собчак

Не получил ответа, усы растворились в плотной толпе, окружившей гостей украинской столицы перед массивными ампирными дверьми, прегражденными декоративным турникетом. Под табличкой, сообщавшей, что здание принадлежит Киевской городской администрации (КМДА), черной краской по граниту было написано: «Штаб революції».

КМДА

Источники сообщают, что 1 декабря 2013 года в это здание ворвалась группа вооруженных членов группировки «Правый сектор» во главе с бывшей активисткой УНА-УНСО Татьяной Чорновил. Очевидцы же говорят, что в этот момент на Крещатике одновременно стоял миллион человек и кто именно захватил «будынок» — непонятно. Так или иначе, вот уже семьдесят дней мэрия Киева была одним из центров сопротивления.

Навстречу Собчак с Красовским вышел улыбающийся парень лет двадцати пяти.

— Евгений Карась, комендант. Будемо спілкуватися українською?

— Ой, можна российскою, — с западенским акцентом захныкал выросший в Ровенской области Красовский, — а то дівчинка у нас не вчена, нічого не зрозуміє.

— А, ну без проблем.

Прикусив губу, Собчак искоса поглядывала на окруживших коменданта парней. В них не было ничего отвечавшего ее представлениям о революции: ни лент, ни воздушных шариков. Только штыки на поясе, спецназовские берцы и рации, по которым они перебрасывались непонятными цифрами: «Второй, второй, я пятерка, восьмого видишь?»

— Ребята, а вы откуда вообще? — наконец решилась Собчак растопить лед.

— Львовский ЧОП, — последовал краткий ответ.

Пройдя мимо караула, москали очутились в мраморном вестибюле. Стены, колонны, двери были исписаны какими-то лозунгами, под лестницей сидел студенческого вида юноша с гитарой.

— Принимает продукты, — с пановатой гордостью сообщил комендант Карась. — Пойдемте наверх.

На втором этаже, в огромном колонном зале, где еще недавно проходили заседания горсовета, столпилась сотня человек. Пара десятков сгруппировалась где-то у сцены, еще человек тридцать стояли в очередях к сидевшим за столами молодым людям. Оставшиеся окружили москалей.

— Шапку сними, — тихо, но настойчиво потребовала коротко стриженная женщина у Красовского, — в нормальных странах шапки в помещениях снимают.

— А уже все нормально со страной, да? — недоверчиво поинтересовался Красовский у женщины, косясь на огромный портрет Степана Бандеры над входом. — А вам, кстати, не надоело всем Бандерой в морду тыкать? Вы же знаете, как к нему относятся на востоке страны, в России? Был у Познера в программе Кличко, и Познер ему задает вопрос…

— Про гомиков? — с понимающей ехидцей спросил в ответ полнеющий хлопец, похожий на прижившегося в доме стареющей купчихи дьячка.

— Гомики в России уже не в моде — о Бандере. И о ветеранах УПА, которых хотят уравнять в правах с партизанами.

— Я однозначно считаю ветеранов УПА героями, боровшимися за независимость Украины, — по-хозяйски протискивался сквозь толпу невысокий, комиссарского вида юноша — Юрий Ноевый, партия «Свобода». — А вы лучше поинтересуйтесь, где был Степан Бандера с 1941 по 1944 год. В фашистском концлагере.

— Ну или посмотрите, — подхватил комендант Карась, — с кем воевали части УПА на западе Украины до 1944 года? С Красной армией? А откуда она там взялась в эти годы? УПА воевала с вермахтом.

— Если Бандера герой, то Богдан Хмельницкий кто? — не отставала Ксения. — Тоже герой?

— Герой.

— Он же говорил, что Украина навеки с Россией? Я думала, теперь будут его памятники валить.

Из разноголосых возмущенных реплик стало очевидно, что снос памятников гетману не входит в список первоочередных дел собравшихся в зале.

— Хорошо, ребят, — поправляя поминальный венок, встряла в общий гомон Собчак, — давайте не о прошлом, а о будущем. Вот когда вы придете к власти, кто для вас будет идеальной фигурой на пост президента?

Ноевый *(гордо приосанясь)*: Мы — свободовцы, то есть для нас такой человек — Тягнибок, но речь же сейчас не о персоналиях.

Собчак: А вот учитывая националистическую направленность вашей партии, скажите: может быть еврей допущен к управлению страной?

Ноевый: Мы основываемся на том, что европейская демократия сейчас строится на довольно странных принципах замалчивания и неучитывания национального фактора, что как раз мешает равноправию.

Красовский: Боже, неужели так трудно прямо ответить: еврей такой же человек, как и украинец, или нет?

Ноевый: Ну, Господи, конечно же, да. А возвращаясь к персоналиям, мы хотим поменять не людей, мы хотим поменять систему. В нормальной системе даже Януковича можно было бы вписать в рамки. Мы боремся за новый порядок, где бы не было коррупции, где бы правоохранительная система защищала людей, где бы суды справедливо разбирали дела.

Собчак: Как же вы этого добьетесь?

Ноевый: Будем проводить люстрации.

Собчак: Отбирать собираетесь? Грабить награбленное?

Ноевый: Нет, будем запрещать финансово-криминальные группировки, которые пришли во власть, чтоб пилить деньги.

Красовский: А к России у вас есть претензии?

Ноевый: Дело в том, что Украина — постколониальное государство, поэтому вся эта воровская власть Януковича эксплуатировала среди своих избирателей пророссийскую идеологию. Все эти речи Азарова, колорадские ленточки.

Красовский: Какие ленточки?

Ноевый: Колорадские, которые у вас георгиевскими называются. Весь «Беркут» с лентами ходит. Партия регионов — это креольская колониальная элита, которая засела тут и сидит уже двадцать лет. Ничем их не вытравишь, как вот этого колорадского жука. Так что будем сидеть здесь до победы.

— Пойдемте, мы вам наш спортзал покажем, — обрадовался комендант Карась какой-то логической точке. — Там как раз сейчас тренировка. Вот вы спрашивали, как это все финансируется. Все это самоорганизация. Люди знают, что нам надо, и привозят. Вот мы сказали: нам нужны тренажеры, и женщина какая-то на следующий день привезла маты, турники, гантели.

В небольшом зале на первом этаже действительно шла тренировка. Десяток крепких парней, встав на колени кверху задницами, образовывали кольцо.

— А зачем они жопы-то оттопырили? — испугавшись провокации, спросил Красовский.

— Это они шеи разминают. А попой давить хорошо. Не хотите присоединиться?

— Нет, спасибо. Я, во-первых, попой, как вы говорите, уже все, что мог, раздавил, а во-вторых, меня утром Ксения Анатольевна записала в спорт-зал «Хаятта».

Украинцы застенчивые, смеются, как бы извиняясь, прикрывая рот рукой. Матом стараются не ругаться, рассказывая всем, что мат — это чисто москальское изобретение, которым Сталин пытался заразить не-стойкую до языковых вирусов нацию. «У вас, — гово-рят русским украинцы, — вся ругань через секс, а у нас — через жратву». Но когда приходит время, за-стенчивый украинец берет АКМ, прячется за платан и стреляет на поражение сперва в левую щеку вра-га. А потом — контрольным — в правую и в глаз. Это свойство украинцев, хорошо знакомое советским солдатам времен Второй мировой, известно нам с вами как национальная черта других наших сосе-дей — чеченцев. В ночь, когда герои нашего расска-за бродили по туманному Майдану, об этой национальной черте мир еще не знал. Москали вышли из КМДА и пошли вдоль рядов палаток.

— А можно нам на баррикаде-то сфоткаться? — спросила Собчак у юного коменданта.

— Ну что вы спрашиваете? Нужно! — улыбнулся Женя и, обернувшись к охраннику в бронежилете, приказал: — Пидтрымай Ксюшу.

Так они остались на карточке — два клоуна и два солдата, чудом уцелевших в наступающей битве.

Порошенко

Петро Порошенко — бывший министр иностранных дел и секретарь Совбеза, миллиардер, заработавший состояние не на нефти и газе, не на лесе, не на металлах. Ему принадлежат «Пятый украинский телеканал» и знаменитые кондитерские фабрики Roshen. В его фирменном магазине, всю революцию не закрывавшемся на Майдане, продаются самые вкусные киевские торты.

Собчак: Ваша компания не собирается угостить всех на Майдане киевским тортиком?

Порошенко: Вы знаете, мне кажется, сейчас это не самый важный вопрос, который мы с вами можем обсудить. Я не хотел бы, чтоб создавалось превратное впечатление, что Майдан имеет своего спонсора.

Красовский: А вы разве не спонсор Майдана? Я лично никогда не поверю в самоорганизацию двухсот семидесяти тысяч порций еды. Кто-то же за все платит.

Порошенко: Нет такого человека. Есть, например, компания «Фестиваль борща», она традиционно уже семь лет проводит фестиваль в одном районе

Киева. Вот она поставила свой котел и непрерывно на Майдане варит борщ, сама закупает продукты. Это не Бог весть какие деньги, смею вас уверить.

Собчак: Должны же быть какие-то спонсоры.

Порошенко: Хорошо, есть пятьдесят тысяч спонсоров. Подойдите к коменданту Майдана, и он вам прокомментирует, какие там расходы и как это все координируется.

Собчак: Давайте тогда на другую тему поговорим. Есть несколько основных олигархов, которые, лоббируя свои интересы, спонсируют те или иные политические силы.

Красовский: Ахметов, Фирташ, Пинчук, Коломойский, ну и вы, собственно.

Собчак: Здесь все знают об этом, все говорят: это Фирташа человек, это — Коломойского, это — Ахметова. Но на политическом уровне все это отрицают. Вам не кажется, что это странно? Что это создает ощущение обмана?

Порошенко: Есть человек Коломойского, есть человек Ахметова, а назовите мне человека Порошенко?

Красовский и **Собчак** *(в один голос)*: Порошенко.

Порошенко: Это первая позиция отличия. Вторая позиция: мне с командой удалось создать одну из прозрачных и эффективных компаний на территории СНГ. И в России тоже.

Красовский: Получается, что вы сейчас самый удобный для России украинский политик.

Порошенко: Я бы ушел от слова «удобный». Вообще, мне кажется, сегодня уже очевидно, что, вопреки всем разногласиям между украинскими политиками, последние события показали, что на Украине нет удобного для России политика. Перед лицом общей угрозы мы смогли закрыть глаза на наши противоречия и делаем все, чтобы не допустить самое худшее. Что касается меня лично, у меня есть опыт общения с целым рядом представителей российского истеблишмента. Мои контакты с ними были достаточно регулярными и эффективными.

Красовский: Почему тогда русские ударили по вашим заводам «Рошен» сразу же после первых выступлений?

Порошенко: Я думаю, что это лучше обсуждать с русскими. Тут важно их понимание эффективности инструментов воздействия на украинскую политику.

Красовский: А не проще было газ отрубить в очередной раз? Вот русские считают: а что мы с хохлами нянчимся, давайте им газ отрубим, и все!

Порошенко: Газовые взаимоотношения России и Украины — это все-таки взаимоотношения не просителя и дающего, а взаимоотношения двух равноправных субъектов — покупателя и продавца. И за три или четыре года действия российских контрактов Россия потеряла здесь более половины рынка. Раньше она продавала пятьдесят четыре миллиарда кубов, сейчас — меньше тридцати.

Красовский: А куда они делись, эти объемы?

Порошенко: Украина стала меньше потреблять за счет повышения энергоэффективности. И такая динамика невыгодна русским. Извините, ребята, ваш газ не нужен. Тогда начинается, конечно: наш газ не нужен по пятьсот? А по четыреста нужен? А по двести пятьдесят? Это не значит, что Украина побеждает или Россия побеждает: должен быть баланс цены. Если бы российский газ был рыночным товаром, а не инструментом политического воздействия, все было бы намного проще.

Красовский: Вот честно, вы в это верите? Что на вашей жизни…

Порошенко: Я в это верю. Я считаю, что Украина должна построить конкурентную экономику для того, чтобы гарантировать свое стабильное развитие. Сейчас на Украине вообще нет экономики.

Красовский: Давайте чуть-чуть поговорим о ваших коллегах и конкурентах. Вот вам на одной трибуне с такими людьми, как Тягнибок, не западло стоять?

Порошенко: Я не во всем согласен с Олегом Ярославовичем. Но он политик, у него есть свой избиратель. Ведь проблема не в том, с кем я хочу стоять или не хочу, а в том, что избиратели «Свободы» — это такие же украинцы, и они имеют право быть услышанными. В конце концов, мы можем победить только тогда, когда все оппозиционные силы научатся слышать, слушать и понимать друг друга.

Собчак: Вы же знаете, что, как правило, революция выбрасывает вперед людей, которые готовы играть на самых низменных инстинктах толпы.

Порошенко: Честное слово, если бы я верил в эту логику народного протеста, у меня была бы возможность в нем не участвовать.

Собчак: Представьте себе, что происходит революция. За кем пойдет больше людей — за вами с вашими рассказами про энергоэффективность

или за Тягнибоком, который будет кричать: «Вешаем жидов и москалей, всех геть»?

Порошенко: Вы знаете, я думаю, вопрос вообще так
не стоит. Этот Майдан — это не Майдан 2004 года,
когда страна искала мессию. За девять лет украинцы выросли, и те, кто сейчас стоят на площадях, не
готовы слепо верить в слова. И события последних
дней — яркое этому подтверждение! Ведь падение
режима Януковича — это прямая заслуга людей. Хочу вам напомнить, что лидеры оппозиции подписали
с Януковичем соглашение и готовы были терпеть его
еще десять месяцев. И если бы люди действовали по
вашей логике и пошли за кем-то из политиков, мы бы
с вами до сих пор называли Януковича президентом.
Вы просто недооцениваете этот Майдан. Хочу вам
рассказать, как во время переговоров со Штефаном
Фюле, в полпервого ночи, он говорит: «Поехали на
Майдан». Мы заходим на Майдан, подходим к бочке,
люди греются. Стоят шесть ребят и одна девушка.
Рядом с Фюле был посол, который не говорит по-
русски. Посол говорит: «Ты можешь мне перевести,
я хочу понять, кто эти люди, зачем они стоят?» Представьте, все семь человек внезапно отвечают ему на
английском, переводчик не нужен. Все семь человек
блестяще говорят на английском. И вы считаете, что
эти люди не способны сделать выбор или они не знают, что хотят построить в своей стране?

Собчак: Но для вас Бандера — герой?

Порошенко: Любой человек, который боролся за независимость моей страны, для меня герой. Но это не предполагает, что для меня не являются героями какие-то другие люди. Оба моих деда воевали на войне, оба были ранены. За Советский Союз воевали, безусловно.

Собчак: А те, кто сделал что-то хорошее для Украины, — герои? Хрущев, например. Такой подарок сделал — Крым. Почему не считать его героем?

Порошенко: Потому что и на его совести сотни тысяч замученных украинцев. У кого-то в голодомор 1932–1933 годов умерли близкие родственники.

Красовский: А вам не кажется, что Украина сейчас разделена на две части? На ту, для которой герой — Бандера, и на ту, где герои — ваши деды.

Порошенко: Нет, это не так. Майдан — не война востока с западом. Это противостояние народа и власти, и основным движущим фактором является фактор «достали»: достали коррупцией, несправедливостью, невозможностью себя защищать. И вопрос Ксении о Бандере — это вопрос с точки зрения «давайте поковыряем».

Собчак: Мне кажется, что если сейчас не расковырять, то потом, когда произойдет победа, вдруг окажется поздно.

Порошенко: Ксения, выгляни в окно. Те люди, которых еще вчера сталкивали лбами, сегодня едины в стремлении защитить свою страну. Даже не думай! Существует технология отвлечения внимания от коренной проблемы. Что говорить сейчас о кризисе, давай поговорим о языке! Насколько русскоязычные в Украине защищены. Давай о Бандере поговорим. Ведь людям сейчас неважно, что им есть нечего, им неважно, что у них справедливого суда нет, зато им очень важно сейчас о Бандере поговорить! Вот уважаемой мною Ксении очень важно сейчас расковырять Бандеру. Моя позиция: будет день — будет пища.

Красовский: Что сейчас самое главное, три главных вопроса для Украины?

Порошенко: Еще вчера я думал, что нашей главной проблемой будет экономика и то, что страна фактически парализована. Но, к сожалению, сегодня главное — это территориальная целостность и суверенитет моей страны. Вот главный вопрос.

Красовский: Что будет с Януковичем? Вы лично хотели бы, чтобы он сел?

Порошенко: Я бы хотел, чтобы наказание было неотвратимо.

Майдан

На следующий день Красовский отправился на Майдан в одиночестве. Собчак, снимавшаяся одновременно в двух проектах на украинском телевидении, написала SMS: «Все-таки хохлы жулики. Обещали восьмичасовой день, в результате рабство с утра до ночи. Иди без меня. Гепа в Киев на интервью не полетит, ему лень. Извинялся и прислал самолет. Летим в Харьков. Встретимся в Жулянах».

Выйдя из дипломатического квартала на Софиевскую площадь, Красовский нырнул в переулок и обомлел. Перед ним сотнями дымных клубов дышал лагерь кочевников. Посреди шатров грандиозной палицей торчала колонна независимости. Под определенным углом могло показаться, что все стоящее на Майдане живое соединилось в кулак, выкинув в небеса огромный средний палец: не дождетесь.

У входа в Дом профсоюзов стояли примелькавшиеся уже за пару дней подростки в камуфляже.

— Доброго ранку, можна українською? — седой бодрый человек по-хозяйски вышел из здания.

— Та ради бога, будь ласка, тільки тоді без диктофона, бо в редакції в Москві все одно не зрозуміють.

— Ну дуже гарно. Я – Степан Іванович.

Степан Кубив был заместителем председателя комитета Верховной рады по финансам и банкам, а когда народ пришел на Майдан и остался, был делегирован оппозицией координировать жизнь нового огромного города в городе. Кубив и был тем самым комендантом Майдана, о котором говорил Порошенко.

— Сколько стоит Майдан?

— В среднем, наверное, пятьдесят-семьдесят тысяч долларов в день.

— Это спонсорские деньги? Партии?

— Ну, скажем так, это тысячи разных доноров. Тут есть компании, которые привозят еду. Помните, был день, когда тут одновременно оказался почти миллион человек и нужно было хотя бы половину из них обеспечить едой. Мы тогда приготовили пятьсот тысяч порций горячего.

— Это что ж была за еда?

— Гречка с сардельками. Все на кухне Дома профсоюзов приготовили. Восемьдесят поваров-волонтеров. Дрова другие компании привозят, мусор вывозят еще одни.

— Слушайте, ну я никогда не поверю в самоорганизацию тысяч независимых компаний и людей.

— А вы поверьте, — Кубив спокойно шел по огромной площади и по-свойски пожимал руки идущим ему навстречу поселенцам. — Привет, слушай, сбегай мне за сигаретами. В такой красной пачке, знаешь?

— А охрана? Медицина?

— Волонтеры. Медиков сейчас пятьсот человек, охраны — побольше. Вон ребята стоят.

— Это ж дети совсем.

— Ну какие они дети? Восемнадцать-двадцать лет, уже в состоянии сами решать, в какой Украине им жить.

Кубив и Красовский стояли на смотровой площадке. На казавшейся с высоты игрушечной сцене в очередной раз заголосили западенские попы: «Отче наш, що єси на небесах, нехай святиться ім'я Твоє». Площадь запела вместе с ними.

За три месяца противостояния вместе с единой — пока еще неведомой — украинской нацией на Майдане начала зарождаться новая христианская вера. В начале революции в стенах принадлежащего украинскому патриархату Михайловского собора укрылись от «Беркута» протестующие студенты, потом там же был развернут госпиталь. Пока в Киево-Печерской лавре, подчиняющейся Москве, привычно торгуют иконами и крестами, в незалежном соборе будут перевязывать, оперировать и отпевать убитых. Как ни крути, а моральная победа независимой православной церкви над Москвой пока была, возможно, главной победой над Россией в этой маленькой войне.

При расставании Кубив вручил Красовскому визитку: «А вообще я финансист, имейте в виду. Я по банкам специалист, а не по протестам».

Дорога

Над самолетом масляной лампадой мерцал расплывшийся огрызок месяца, украденного когда-то в этом самом месте проклятым чертом.

Лениво раскинувшись в кресле Bombardier, присланного за ней учтивым харьковским мэром, Собчак подзуживала своего спутника:

— Ну что, Красовский, это тебе не у нищеброда Прохорова работать. Когда за тобой джет посылали?

— Ну, один раз не посылали, а давали. Я тогда летел перед избирательной кампанией в Куршик к хорошим людям посоветоваться. Но вот так, чтоб в гости — нет.

На заднем кресле стюардесса лениво листала журнал.

— Слушайте, — обратился к ней Красовский, — а я вот когда сюда влезал, видел там при входе фрукты в пленочке.

— Ой, да, — оживилась стюардесса, — предложить вам?

— Ну конечно, — включилась в разговор Собчак. — Может, у вас еще и шампанское найдется?

— Найдем, — ответила стюардесса, доставая из тумбочки бутылку розового «моэта». — Только попрошу пилота открыть.

— Жулики, все-таки дикие жулики, — прошипела Собчак.

— Да, я вообще никогда не видел, чтоб в джетах приходилось выпрашивать хавчик, — ответил Красовский. — А еще ты заметила, что они постоянно врут? Когда русский врет, ты точно знаешь, что это вранье, а у хохлов это суть существования. Не объегоришь москаля, он тебя пустит на сало.

Тем временем самолет плавно плюхнулся на харьковскую взлетку. К двум слегка дрожащим от ночной прохлады фигурам подкатил тонированный внедорожник размером с самолет. Огромные бритые люди выскочили из машины, подхватили чемоданы и галантно распахнули перед гостями двери. Джип сорвался с места и умчался в ночь, в едва угадываемую за темными стеклами лесопарковую зону.

— Куда они нас везут, — подумала Собчак, от ужаса и усталости забыв поставить в конце вопросительный знак.

— Геннадий Адольфович велел отвезти вас на источник, — не оборачиваясь, произнес с водительского сиденья ясновидец с бритым затылком.

— Какой источник? Сейчас два часа ночи.

— Шеф вас там уже ждет.

Гепа

— Привет, ну что, купаться будем? — маленький человек в спортивном костюме Abercrombie & Fitch выпрыгнул из соседней машины.

— Я буду, — обреченно, с лживой готовностью в голосе ответил Красовский.

— А я как-то нет, — сказала Собчак. — Вы, мальчики, сами.

Герои пошли вниз по лестнице, окруженные взводом автоматчиков. Навстречу им от источника шли люди, которые приветливо здоровались с мэром, он им вежливо отвечал. Если б не охрана, могло показаться, что путешественники шли в компании мэра Роттердама.

— Это вот мы тут свалку убрали и сделали купальню. Крест — видите — сценки нарисовали. — Над крестом, заполненным ледяной водой, действительно были фрески.

Пока Красовский, морщась от холодрыги, стягивал штаны, Кернес лежал под водой. На берегу охранник осторожно, словно раненую колибри, поглаживал мускулистым пальцем экран айфона.

— Тридцать две секунды, — торжественно объявил он вынырнувшему Гепе.

— Еще нырну! — мэр восточной столицы вновь скрылся в ледяной воде.

Собчак поняла, что высокотехнологичный продукт доверен гиганту с единственной целью — засекать время купания шефа, — и почувствовала в сердце теплоту материнской любви. Но Красовский нещадно мерз.

— Да вы не стойте босичком на холодном-то, — прошептал Красовскому охранник, — на полотенчико встаньте.

Кернес вынырнул из проруби, моментально влез в спортивную фланель, нахлобучил огромную вязаную шапку, и уже спустя десять минут гости ходили по ночному парку культуры имени Горького.

— Я, когда стал депутатом, называл это парком аттракционов и шашлыков, — Кернес не по росту так стремительно обходил свои владения, что автоматчики не успевали держать периметр.

— То есть здесь все было в аттракционах, шашлыках? — спросила Собчак.

— Тут было все говно, короче.

— Надписи все по-русски, — заметила Собчак.

— Я вам скажу по поводу русского языка, тут не надо рассуждать: тут говорят по-русски. Все. — Кернес гордо посмотрел на облепленное светодиодами дерево, словно бы украденное им с Тверского бульвара. — Вот же, красиво, да?

— Ужасно красиво, Геннадий Адольфович, — подхватили гости.

— Смотрите, — делегация подходила к центральному входу, — здесь стоял памятник Горькому, у него птицы склевали голову, потому что он был из гипса. Сейчас здесь стоит символ парка.

— Белочка? — обомлела Собчак.

— Да, — ответил Кернес, — белочка. У нас здесь очень много белочек, поэтому белочке и памятник.

В речи мэра, столь очевидно гордящегося вверенным его попечению парком, явно звучали капковские нотки. В какую-то минуту полусонным гостям даже показалось, что они расслышали слова «культурное пространство».

Еще час гости ездили в ночи по пустому вылизанному городу, мэр останавливался у каждого здания, рассказывая, где было гестапо, где находится его кабинет.

— А это вот памятник Шевченко, второй по красоте после Марка Твена, который в Америке стоит.

— А это что за баба на шаре? — зевая, спросил Красовский.

— Это памятник независимости Украины, там ведь даже написано: «Слава Украине».

— Героям слава, — по привычке ответил Красовский.

— Не героям слава, а Украине, — резко поправил Кернес. — Не надо тут вот бандеровских паролей.

— А если б сейчас вас попросили проголосовать за СССР или против, вы бы как проголосовали? — поинтересовалась Собчак, глядя на пустую, выложенную брусчаткой площадь со светящимся в глубине памятником Ильичу.

— Конечно за. Такая была страна мощная, а сейчас что? Вот все говорят: Европа, Европа, а что Европа? Там тоже работы нет.

По всему было видно, что мэр искренне предан городу, и город отвечал ему взаимностью, приветливо подмигивал зелеными светофорами, мерцал новенькими фонарями площадей, хрустел брусчаткой под резиной.

— Это ваша гостиница, а завтра можем встретиться на завтраке у меня. Я тоже в гостинице живу.

— Зачем? — удивилась Собчак. — Это же ваш родной город.

— Хочется иногда. У меня там собаки, завтрак хороший.

Готель «Националь», где обитал мэр, являл собой длинную кирпичную пятиэтажку, служившую когда-то, видимо, гостиницей облисполкома. У входа встречать гостей выстроился весь штат. Было похоже, что сцену приезда принца Уэльского в аббатство Даунтон пытаются поставить в миргородской оперетте. Геннадий Адольфович Кернес был облачен в идеально сидящий черный приталенный костюм, белоснежную рубашку и узкий галстук. Так одеваются охранники модных показов, похоронные агенты и премьер-министр Медведев.

Красовский: Вы знаете, что сегодня в Киеве начались массовые протесты? «Правый сектор» повел людей к Раде.

Кернес: Нет, не знаю. Да пусть ходят.

Собчак: А что будет, если все-таки Майдан победит и революция случится?

Кернес: Я никогда не подчинюсь тем, кто придет к власти незаконным способом.

Красовский: Тем не менее кто из лидеров оппозиции был бы приемлемым для вас, для Харькова? Кличко? Порошенко?

Кернес: Вы знаете, я человек, у которого есть свои жизненные постулаты, а также я делаю выводы из тех обстоятельств, в которых нахожусь. Один из таких выводов — должна быть преемственность власти. Понимаете, любой, приходя на должность высокую, начинает критиковать то, что было раньше…

Собчак: Чем это плохо?

Кернес: Я считаю, что та неконструктивная критика, которая сегодня льется со сцены Майдана, никакого отношения к преемственности власти не имеет. Она имеет отношение к разрушению тех устоев и традиций, тех возрожденных уже достижений, которые есть у нашей страны. Мне чай сделайте, пожалуйста.

Красовский: Мне тоже чай.

Кернес: Бамбуковый ему сделай чай. Вот, вы смотрите на сцену Майдана. Там выступает Кличко и что-то говорит. Что он говорит — он сам не понимает. Удар слева или справа — вот это он понимает.

Собчак: А кто понимает из них, кстати?

Кернес: Я считаю, что понимает Порошенко. Но не Кличко и не Тягнибок.

Красовский: Тягнибок — проект Коломойского? Правда ли, что Украина — единственная страна, где за нацика платят евреи?

Кернес: Вы знаете, Коломойский Игорь Валерьевич — хороший парень. Я думаю, что как у человека, который входит в список «Форбс», у него есть определенные механизмы влияния и участия, он, конечно, раскладывает яйца не в одну корзину. Поэтому, знаете, как мы говорим, свечку не держали, пусть они сами женятся между собой.

Собчак: А Кличко — это человек Фирташа?

Кернес: Ну, слухи, которые сегодня на Украине, да, что Кличко — человек Фирташа. Это слухи. Вот пусть Кличко признается в этом со сцены Майдана.

Собчак: Если бы вы были Фирташем, вы бы поддержали Кличко?

Кернес: Я не Фирташ. Меня зовут Кернес Геннадий Адольфович, и я являюсь приверженцем сегодня того курса, который избран президентом страны. И я выступаю открыто и публично в поддержку Януковича Виктора Федоровича. Вы должны понимать, что я не являюсь олигархом.

Собчак: У вас вон часы за миллион долларов, мои любимые — Patek Philippe Sky Moon. У меня было всего три мужчины, которые посылали за мной самолет: Саакашвили, Кадыров и теперь вы.

Кернес: То, что касается часов, вы глубоко ошибаетесь... Вы глубоко ошибаетесь в стоимости этих часов.

(Кернесу, конечно, хотелось признаться, что Собчак слегка недооценила часы, но природная застенчивость помешала это сделать.)

Красовский: Ну Бог с ними, с часами. Я вот не могу не спросить: все на Украине знают вас как главного борца с пидорами.

Кернес: Вот ты правильно сказал — с пидорами, а не с геями. Вот Армани — великий гей, я в костюме Армани сижу, на нем даже написано «Армани для Кернеса» (в доказательство градоначальник демонстрирует подкладку). Но я против пидоров. Против тех, кто выходит на трибуну, что-то там несет, а когда его спрашивают: «А ты гей?» — отвечает: «Какая разница?» А какая тогда разница, много у чиновника денег или мало? Врет этот чиновник или нет? Если ты людям врешь, то почему тогда в этой лжи обвиняешь других?

Красовский: То есть вы просто против лицемерия выступаете.

Кернес: Вот правильно говоришь, Антон, дай руку пожму. Я же вот свое прошлое не скрываю. Да, я сидел, да мне из-за этого как-то неловко всю эту тему даже обсуждать. Но вопрос тот, что касается людей, у которых, как мы говорим, сзади есть дырка, то мы должны четко понимать, где здесь мораль. Мораль той басни такова — в гондоне дырочка была. Потому что вы поймите: потом явным станет, что политик пидор, да, или гей, а он это скрывал.

(Тем временем в столовую заводят огромную пушистую и дико вонючую собаку.)

Кернес (*оживляясь*): Хорош, а? Крас-савец!

Красовский: Это американская акита, да?

Кернес: Ага, японскую привести? Давай веди японца быстрей.

Собчак: Вот я знаю, что у вас есть еще одна такая менее известная кличка, чем Гепа, — это кличка Синяя Борода, за то, что у вас очень много женщин.

Кернес: По поводу Синей Бороды вы не правы. Знаете, есть хороший анекдот по поводу бороды. Приходит мужчина в ресторан, заказал еду, ест. И тут приходит другой, лысый, с огромной бородой. Садится, все заказывает, поел. Ему несут чек. Он говорит: «Я из банды "Черная борода"». Официант: «Извините, пожалуйста, извините». Тот, что первым пришел, доел, попросил чек и говорит: «Я из банды "Черная борода"». Официант ему: «А где ваша борода?» А он штаны снимает и говорит: «Я тайный агент».

(В комнату вводят рыжую акиту, Красовский, у которого точно такая же, начинает теребить собаку за ушами. Десять человек прислуги, умиляясь, смотрят на эту картину.)

Собчак: Слушайте, скажите, а вот эта прекрасная кличка — Гепард, Гепа — откуда у вас появилась?

Кернес: Просто гепард быстро бегает, а я в свое время очень быстро бегал.

Собчак: То есть вы хищник?

Кернес: Я не хищник, я хлеб ем и фрукты. Вы поймите, у каждого в детстве... Я вообще не знаю, откуда это взялось.

Красовский: Это уменьшительное от Гены, да?

Кернес: Думаю, конечно, это от Гены. Потому что тогда я и не думал, что будет интернет.

Собчак: Вы когда-нибудь женщин били, скажите честно?

Кернес: Вы знаете, в свое время была такая история, якобы я кого-то побил…

Красовский: Да, и извинились, повесив в городе плакаты.

Кернес: То, что я сделал на тот момент, думаю, не делал ни один мужчина в городе Харькове. Я развесил много плакатов с признанием в любви. И многие, назовем так, «добрые люди» начали распускать определенные слухи.

Собчак: А это было просто признание в любви вашей жене?

Кернес: Это было просто выражение моего отношения к ней. Вот и все. Тем более что там было написано: «Оксана, я тебя люблю», и там было нарисовано сердце. Поехали лучше я вам свой кабинет покажу.

Кабинетом анфиладу комнат, расположенную на втором этаже харьковской горадминистрации, назвать можно лишь в порыве аморальной скромности. Парадная комната приемов: антикварная мебель из карельской березы, портреты предшественников. В оранжерее волею судьбы встретились беговая дорожка, чучело льва и мини-гольф; последний размещался на ступеньках, так что играть в него не было решительно никакой возможности.

Кернес: Ксюш, это коллекция фарфора, выбирай. Хочешь олимпийского мишку?

Собчак: Ой, Геннадий, давайте уже быстрее отправляйте нас в аэропорт. Возьму вот эту, девочку с косой.

Кернес: Хороший выбор. Пусть коса летит в Москву.

Через пять дней Юлия Владимировна Тимошенко вылетела из Харькова в Киев.

Эпилог

Геннадий Кернес после победы Майдана бежал в Россию, но на следующий день вернулся, заявив, что будет заниматься хозяйством и не собирается лезть в политику.

Петр Порошенко претендовал на должность премьер-министра, но она досталась Арсению Яценюку.

Татьяна Чорновил решительно возглавила антикоррупционный комитет.

Степан Кубив назначен председателем Нацбанка Украины.

Евгений Карась и Юрий Ноевый живы и по-прежнему состоят в партии «Свобода».

Юлия Тимошенко вышла на свободу, объявила, что будет баллотироваться на пост президента Украины, и уехала на лечение в ФРГ.

В столкновениях на Майдане погибли девяносто четыре человека.

Часть вторая

КАК ЛЮБИТЬ РОДИНУ

Мне кажется, любить свою страну так же просто и естественно, как любить самого себя. Уж конечно для этого не нужно выдумывать никакого специального слова. Поэтому я подозреваю, что когда кто-то начинает рассуждать о «патриотизме», он готовит какой-то недобросовестный словесный фокус. Вот вроде отчий дом, березки, вот славные победы и исторические свершения, а вот уже на фасаде одного из московских зданий вывешены портреты врагов народа. Я и себя нашла в списке врагов, обнародованном каналом «Царьград», среди «Топ-100 русофобов 2016» — вместе с Дмитрием Зиминым, Ангелой Меркель и отчего-то Леонидом Ярмольником.

Весной 2014 года случился Крым, и тема патриотизма — именно вот в таком спорном аспекте — вдруг вылезла во всей красе из глубин народного подсознания. Я и сейчас не знаю, как мне к этому относиться — язвить, печалиться, посмеиваться или доказывать с пеной у рта, что я тоже люблю свою родину. Тогда, в мае 2014-го, мы выбрали ироничную интонацию. Нашими экспертами по любви к родине стали казачий атаман, главный редактор либерального журнала, православный философ и создатель черносотенного интернет-ресурса с интригующим названием «Спутник и погром». А еще девочка Люба, которую страна помнит по церемонии открытия олимпиады в Сочи. Пользуясь случаем, хочу сказать: Люба, то есть Кристина! Ну хоть ты-то на нас не обижаешься?! Мы ведь правда желаем тебе счастливого будущего.

(Май 2014)

Как любить родину

———————————————— – т + ————————————————

История о том, как Собчак и Красовский учились правильно любить родину и как им помогла в этом девочка Люба, увидевшая сон о России на открытии Олимпиады в Сочи.

Пролог. Сочи

7 февраля 2014 года. Открытие сочинской Олимпиады. В темной комнате перед теликом застыли две фигуры. Собчак и Красовский.

— Круто, — задумчиво произнесла Собчак.

— Очень круто, — неожиданно согласился Красовский.

— Знаешь что? Мы должны с тобой сделать репортаж про патриотизм, — вдруг заявила Собчак, приподнимаясь с дивана.

— Ты, что ли, хочешь русских людей научить Родину свою любить?! Ты?!

— Идиот. Вот смотри — мы сидим, смотрим и радуемся. Значит, можем ведь, а? Если даже нас с тобой, кощунников, зацепило. Надо только выяснить, как правильно любить Россию и не ссориться.

В это время на экране была страна Россия, которую показывал стране России Константин Львович Эрнст. «Смотри: вот она ты. Широченная — не сузишь, гордая, но не горделивая, богатая не только душой».

Эта Россия снилась девочке Любе. И снилось ей, что Россия — это Европа. Вот бал, и вальс, и шлейфы, и жабо — словно это Версаль, а не Москва. Вот колонии пузырей и кубов, и кажется, что где-то в первом ряду близ Родченко и Малевича сидят Корбюзье и Дали. Вот наш европейский спутник, наш общий на весь мир Гагарин. А вон — на трибуне — наш Первый Европеец. И если ты, Россия, не Европа, то что же тогда Европа?

«Да, да, Европа, Европа, — отвечал Эрнсту чавкающий российский зритель. — Давай уже салют показывай, задолбал».

— Если про патриотизм — нам точно нужна эта Люба, — требовательно замахал руками Красовский.

— Люба в Вологде, и Люба теперь звезда. Везти ее сюда — бессмысленные траты, примерно как на сочинские олимпийские объекты. Может, подешевле ребенка арендуем? Ну хоть из школы Яны Рудковской.

— Нет, нельзя экономить на чувстве Родины. Если мы хотим научиться любить Россию, нам без Любы никак не обойтись.

— А мы, значит, покажем ей Россию? Станем для нее такими Вергилиями, а потом сразу отправим назад, в следующий круг?

— Вот все вы, иудеи, педерасты и прочая несогласная нечисть, считаете Россию адом, — вздохнул Красовский.

— Я, между прочим, очень люблю свою Родину, — торжественно произнесла Ксения. — И хотела бы любить ее как-то правильно, по-научному. Прежде чем показывать что-то девочке, мы с тобой сами должны поучиться. Сегодня — вот мне подсказывают — в Роспатриотцентре лекция Дугина.

— Нам прямо там и наваляют. По-научному, — покорно вздохнул Красовский.

Урок 1. Теория вопроса

За большим квадратным столом сидело человек сорок, еще столько же стояло по стенам, прижималось к батареям, толкалось в дверях.

Доморощенные вергилии, извиняясь, прошмыгнули сквозь толпу и плюхнулись на зарезервированные для них места. Напротив сидела целая группа товарищей, которых в Киеве непременно приняли бы за титушек. Все они были одинаково острижены беззастенчивым бобриком, костяшки их пальцев рассказывали о постоянной борьбе их обладателей с мировой несправедливостью, в глазах таился ужас, что вызовут к доске.

Справа обосновалась группа отличников — тех, что похитрей. Один из них тут же принялся снимать гостей на айфон, другой задавал вопросы.

— Александр Гельевич, я из Высшей школы экономики. Но не пугайтесь, я с нормального, нашего факультета. Давайте поговорим с вами про вашу четвертую политическую теорию, особенно в той ее части, которая рассказывает о конце либерализма и постлиберализме. О том моменте, когда либерализм перестает быть первой политической теорией, а становится единственной постполити-

60   Ксения Собчак

ческой практикой. Вы вспоминали Хайдеггера и экзистенциальное бытие русского народа...

На этих словах Красовский уснул и, кажется, даже сладостно захрапел, потому что был разбужен пинком в бок, поступившим от какого-то полного пожилого патриота.

— Это все прекрасно, — вдруг оживилась Собчак, — но я вот тоже хочу задать вопросы, потому что у нас времени совсем немного.

— Что значит немного? — оживился полный пожилой патриот. — А на «Дом-2» свой хватало. Иди туда вопросы задавай.

— Ну все, сейчас навешают, — расстроился Красовский. — Стоило ради этого будить.

Толстяк так бы и продолжал свою гневную патриотическую песню, если бы из президиума ему не показал какой-то знак мужчина с эльфийскими ушами — видимо, начальник этого самого Роспатриотцентра. Увидев тайный знак, полный патриот запнулся на полуслове и принялся тяжело дышать.

— Спасибо, — невозмутимо продолжила Собчак. — Вот вы сейчас сказали, что русская мать прививает младенцу особую систему жестов и взглядов с экзистенциальной точки зрения. Скажите, а если не с экзистенциальной, а с простой, обычной точки зрения — считаете ли вы, что американская мать смотрит на своего младенца в люльке как-то по-другому, чем русская мать на своего?

— Абсолютно точно, — веско произнес Дугин. — Глубинные, ценностные установки американского младенца иные. Точно так же, если мы посмотрим на исламскую мать, она транслирует другое, индусская мать — третье, китайская мать — четвертое...

— Ну а взгляд-то у американской матери какой такой отличный от русского? — проснулся опять было начавший засыпать Красовский.

— Американская мать, например, все время улыбается. Все время. По поводу и без. А русская мать задумчива и спокойна. Улыбается только по делу.

— Скажите, — обратилась к маэстро женщина с видом Вики Цыгановой, — какой враг сейчас нужен России?

— Очень интересный вопрос. Конечно, сейчас он у нас есть и он нам нужен — это американский враг, такая коллективная Виктория Нуланд. Неоконсерватор, открытый, прямой, ненавидящий Россию. Но в эпоху постмодерна мы не должны забывать о том, до чего не дожил Хайдеггер — до вектора приближения к Ereignis…

Через пару минут Красовский проснулся уже от пинка Собчак: «Пошли, девочка приехала, завтра утром ведем ее к казакам. Фрол тебе пришлет одежду».

Урок 2. Вера и служба

— т +

К воротам находящегося то ли в Люблине, то ли на Дубровке казачьего кадетского корпуса подъехал Audi A8. Попросту говоря, авоська. Из авоськи, с явным недоверием к окружающему, выползли наши проводники по первому кругу ада. Собчак нацепила на грудь идиотский блескучий орден Святой Виолетты Красногорской, выданный ей, видимо, в честь взятия Джанкоя вежливыми людьми. Красовский напялил нелепый китель.

— Мы все-таки больше похожи на Алису с Базилио, чем на божественных проводников, — тяжело вздохнул Красовский, покосившись на красивую девочку, ерзающую в румынском кресле.

От кота и лисы наши герои, правда, отличались тем, что приехавшую из Вологды буратину на деньги развести не пробовали. Напротив, еще накануне вечером ее поселили в роскошном номере гостиницы Ritz-Carlton.

— Как вам номер? Правда, очень крутой? — не предоставляя иных вариантов ответа, спросила Собчак у мамы героической девочки.

— Ну так, — ответила мама, приехавшая сегодня из вологодского общежития, — ничего. Нормально.

Сразу стало ясно, почему ее дочь выиграла конкурс. Тут была настоящая Русь, неприхотливая и сдержанная.

— А ты, значит, Люба, — зевнул Красовский.

— Кристина, — ответила девочка, улыбаясь какой-то искренней, но нездешне-вежливой улыбкой, какая встречается только у русских супермоделей и Орбакайте.

— Кристина, — в один голос замурлыкали герои, — мы будем ходить с тобой по разным людям и задавать им вопросы о том, как и почему нужно любить Родину. Тебе это интересно? — девочка утвердительно кивнула головой.

— А что бы ты больше всего хотела посмотреть?

— Кремль, — не задумываясь, ответила девочка.

— Будет тебе Кремль, — посулила Собчак, доставая телефон. — Тааааааак...Кремль — Сурков.

Всю дорогу до кабинета атамана Собчак что-то писала помощнику президента.

— Боже, Боже, — думал Красовский, — ну почему даже с ребенком не получается без Кремля? Почему?

* * *

В кабинете совета корпуса отчетливо пахло алкоголем. «Чувствуешь?» — наклонилась к Красовскому Собчак. «Нет, — патриотично ответил он. — У меня насморк».

— Ксеничка, проходи. Располагайся, — грузная фигура атамана в мундире нависла над столом, заваленным грамотами. — Я – атаман. А это наш батюшка, отец Марк.

— А это девочка Кристина, — Собчак вытолкнула перед собой испуганного ребенка. — И мы хотим с ней понять, как правильно любить Родину. Вот у вас же наверняка есть уроки патриотизма.

— Есть, конечно, — довольно ответил атаман.

Собчак: Вот приходят они на первый урок. Им что говорят? Что значит «любить Родину»?

Атаман: Любить Родину — это нужно в первую очередь любить себя, уважать старших, изучать историю своих потомков, армейскую службу, строевой ходить. Физическая подготовка...(На словах о физической подготовке атаман попытался втянуть живот. Кристина с удивлением поглядела на этот акробатический трюк.)

Собчак: У меня вопрос к вам и к вам, батюшка. А можно любить Родину и одновременно ненавидеть государство?

Атаман: Нет.

Батюшка: Нет, невозможно.

Красовский: Ну, вот, например, в фашистской Германии были люди, которые, очевидно, были немецкими патриотами и при этом ненавидели Гитлера.

Атаман: Они патриоты для своего народа. Но не для нации. Я знаю, почему вы спрашиваете. Если не любить — ну, не надо жить в этом обществе, тебя там бабушки, дедушки, трамваи раздражают, мероприятия. Тебе будет некомфортно, ты будешь воспринимать все с болью. Ты и с людьми не будешь разговаривать. Надо уходить туда, где комфортно.

Красовский: Люди, которые устраивали покушение на Гитлера в 1942 и 1944 годах, должны были уехать в Соединенные Штаты?

Атаман: Вы понимаете, вы берете Германию. Ну зачем мне Германия? У меня в Германии дед погиб, еще в Первую мировую войну. Отец в Великую Отечественную войну весь Ленинградский фронт…

Собчак: У меня дедушка тоже всю войну прошел, дошел до Берлина, был ранен, имеет награды. Потом, рассказывая мне об этом, он говорил: «Мы все это кричали, "за Родину, за Сталина", но я вот не за Сталина был».

Атаман: Не, я с этим не согласен.

Красовский: То есть надо отождествляться со Сталиным?

Атаман: Вы меня извините, но даже Черчилль признал, что Сталин великий из великих: «Нас, капиталистов, заставил воевать против капиталистов». Сталин в чем ходил, в том и похоронили, ни дач, ни вилл, ни счетов, ничего. Он все делал для народа. И когда Сталин умер, дисциплина была.

Красовский: Вас не смущает, что вы ходите в императорских погонах и при этом за Сталина?

Атаман: Нет. Почему я должен стесняться? В этих погонах, в этой форме ходили деды мои, прадеды.

Ксения Собчак

Собчак: Ну, Сталин-то с этим как раз боролся. Нет ли тут противоречия?

Атаман: Понимаете, пришел Горбачев — развалил великую страну, державу.

(Кристина с удивлением смотрела то на толстого атамана, то на внучку героя войны, то на начинающего заводиться ряженого Красовского. И только спокойный улыбающийся батюшка ласкал ее взгляд.)

Собчак: Нет, подождите-подождите, вы отдаете себе отчет, что Сталин, если бы вас увидел в этих погонах, расстрелял бы сразу?

Атаман: Не надо меня стрелять. Вы понимаете, мы в основном-то выискиваем в истории какие-то негативы. А я не настроен на это. Я хочу и детей воспитывать в патриотизме, в нравственности, в порядке.

Батюшка: Я могу привести пример, скажем, новомучеников и исповедников российских — многие, отсидев в лагере двадцать пять лет, никакой злости на Сталина или на кого-то еще не испытывали.

Красовский: Все-таки при Сталине было получше?

Атаман: Вы, пожалуйста, не надо со мной так разговаривать. Я ведь казак, я ведь могу ответить так, что у вас уши отвянут сразу.

Красовский: Русский народ погиб наполовину при Сталине. А вы говорите, он был русский правитель. Вот как так? Чем круче с вами, тем вам больше нравится.

Атаман: Не с вами, а с нами. Если так будете рассуждать — тогда вы зря приехали в кадетский корпус о патриотизме говорить. И еще привезли вот это вот, ребеночка, дитя. Чтобы она нашу склоку слышала. (Дитя непонимающе хлопало пушистыми ресницами.)

Красовский: Ну почему склоку? Мы пытаемся выяснить, что такое хорошо, а что такое плохо.

Атаман: Она вырастет — разберется. Ей помогут разобраться, и церковь поможет. (Отец Марк согласно закивал головой, Кристина улыбнулась священнику.) Я вам задам вопрос: в армии служил?

Красовский: Нет, не служил.

Атаман: Все. Вы посторонний человек в стране.

(Комната наполнилась тишиной и неловкостью, словно пролетевший только что тихий ангел пукнул, не дотянув до форточки.)

Батюшка: Василий Федорович, подожди минутку, дорогой, подожди (отец Марк попытался возглавить дискурс).

Собчак: Вы волевой человек. Вы построили прекрасный корпус. Ну почему же вы считаете, что, если человек в армии не служил, он не патриот?

Атаман: Вы, молодой человек, не любите отечество. Как вы его можете любить, когда вы кашу солдатскую не ели?

Красовский: Путин тоже ее не ел.

Атаман: У нас не только Путин. У нас последний в армии служил министр обороны Грачев.

Красовский: Они не патриоты? Путин не патриот?

Атаман: Он служил в тех органах, где военная подготовка. Все! Не могу! (Обтираясь уютным, пожелтевшим от стирок носовым платком, атаман хлопнул дверью. Спорщики удивленно глядели ему вслед, а Кристина робко подняла руку.)

Кристина: Можно мне вопрос задать? Я, может быть, про другое совсем. Ну вот, смотрите, каждый человек чего-то боится, да? А чего Сталин боялся? (Все огорошенно поглядели на маленькую девочку. Первым опомнился священник.)

Батюшка: Я думаю, что, как всякий человек, он боялся смерти. Подсознательно человек боится смерти именно из-за того, что душа боится умереть без покаяния. Поэтому человеку верующему умирать легче. А когда человек со всеми находится во вражде и злобе, то, конечно, он боится смерти. Но Сталин покаялся.

Собчак: Покаялся?! Это вы откуда знаете?!

Батюшка: Если бы не покаялся, не осталось бы к 1941 году ни одной церкви, а у нас наоборот. Мы войну выиграли, Духовную академию открыли. Так что было покаяние.

* * *

Еще час потом отец Марк водил Кристину по музею, по церкви, давал звонить в колокола. Собчак убежала дозваниваться до Суркова (так, наверное, Вергилий добивался для Данте пропуска в ад), а Красовский рассеянно рассматривал иконостас, пока к нему не подошла ключница: «Вот книжечку возьмите. По вашей тематике». Красовский ухарски расправил гимнастерку Balenciaga и взял книгу. Это была «История казачества с картинками».

«А может, — подумал Красовский, — Родина — это такое место, где так просто быть своим для всех. Нужно просто не быть чужим для себя самого». И тут пришла эсэмэска от Собчак: «Слава согласен, отправляю вопросы».

Урок 3. Другая Россия

— Нам нужно съездить к какому-нибудь национал-предателю, — заявил на следующий день Красовский. — К Макаревичу, например. Нельзя же только нашу патриотическую сторону показывать. Собчак, это все твои друзья. — Кристина непонимающе глядела то на одного, то на другого.

— Макаревича нет, можем поехать к Альбац, — Собчак начала бодро листать контакты в айфоне.

— Ну поехали. А думаешь, ее узнают? Она вообще звезда борьбы хоббитов с Мордором? — зевнул все время засыпающий Красовский. — Ты вот, Кристиш, знаешь Евгению Марковну? — Кристина удивленно покачала головой: «Кто это?»

— Ну что ты ребенка троллишь, — закричала Собчак. — Поехали.

Редакция журнала The New Times находилась где-то на задворках московского ипподрома. Место грязное, но тихое. Опять же от метро недалеко. «Ну да, — хихикал Красовский, — дорого-то у них продается свобода слова только одного человека. Остальным, может, хоть единый выдают в конце месяца».

— Ну за что ты Женю мою так ненавидишь? Она хорошая.

— Она — враг, — сурово ответил Красовский. — Вот у тебя Канделаки враг. А у меня — Альбац и Пархоменко.

На пороге редакции стояла старая революционерка Евгения Марковна Альбац. В руках ее был пушистый плюшевый медведь, во взгляде светилось всепонимание, всепрощение и близорукость.

— Вот мы девочке пытаемся рассказать, — по-тинейджерски засмущалась Собчак, — как надо любить Родину.

— Ну и к врагам России решили зайти, — в очередной раз зевнул Красовский.

— Евгения Марковна! Как отличить настоящего патриота от ненастоящего? Можете девочке объяснить популярно?

— Я думаю, это очень просто. Возьми, — плюшевый медведь неожиданно оказался в руках Кристины. — Патриоты — это люди, которые желают блага своей Родине. И при этом они обязательно желают блага тем, кто живет в других странах. Потому что планета наша очень маленькая, и если людям в других странах плохо, то обязательно людям в твоей стране тоже становится плохо.

Казалось, что наши герои попали туда, откуда, собственно, появились, — в сказку.

Альбац: Это ты еще химию не изучала, да. А когда будешь изучать, тебе расскажут про сообщающиеся сосуды, да?

Красовский: Это физика.

Альбац: Это химия.

(Дальше можно было не продолжать. Враг всего светлого и хорошего, настоящий враг, заслуживший не просто смерть, но смерть мучительную, издевательскую, низкую, был найден. Им оказался ученик 7 «а» класса Антон К.)

Собчак: Мы сейчас встречались с казаками. И атаман нам сказал, что, если человек любит Родину, он должен любить и государство, что это вещи неотделимые. Вы как считаете, можно разделять понятия «Родина» и «государство»?

Альбац: Обязательно надо отделять. Потому что государство — это всего лишь один институт, один домик. На территории нашей страны есть много разных домиков. Один домик называется «Правительство Российской Федерации», другой домик называется «Кремль», третий домик называется «Министерство образования». Они все объединены понятием «государство». Но государство — это не значит Россия. Россия — это страна, это люди. Ты можешь любить Министерство образования — в том смысле, что ты положительно оцениваешь его деятельность, а можешь его не любить, если считаешь, что оно плохо работает. И Кремль можешь любить или не любить. Это абсолютно нормально.

Красовский: Вот смотрите: страна стала жить хорошо при Путине. Людям нравится. А вы Путина ненавидите очень сильно. Почему так?

(Кристина с безразличной грацией вырывала из медведя ворсинки.)

Альбац: Антон, ненависть вообще слишком сильное слово. Ну вот я была влюблена в какого-то мужика, перестала в него быть влюблена. И я его не люблю.

Собчак: Ну, сейчас вы влюблены в мужика, который ненавидит Путина. Хорошо. Смотрите, вот девочка (девочка приосанилась). Ей Путин подарил Олимпиаду. Вот как ей объяснить, что ей не нужно любить президента?

Альбац: Я думаю, что замечательному солнцу нужно сказать, что любить можно и нужно папу, маму, друзей, соседей, братьев и сестер (замечательное солнце наморщилось). Но чиновники — они на самом деле не люди, это функции. Нельзя любить тормоза у машины или, наоборот, педаль газа. Это либо хорошо работает, либо плохо.

Красовский: (Кристине) Ты знаешь, кто такой Путин?

Кристина: Президент страны.

Красовский: А скажи, пожалуйста, у тебя есть какие-нибудь претензии к Путину? Ты чем-то недовольна?

(Девочка напряглась, пытаясь вспомнить, чем же ей насолил улыбчивый красивый дядя с главной трибуны.)

Кристина: Ну, он продает нефть другим странам, а ведь когда-то у нас она тоже закончится.

Красовский: Благодаря этой нефти ты живешь, между прочим. Евгения Марковна, а вы поддерживаете санкции против русских чиновников и бизнесменов?

Альбац: Да, конечно. Я полагаю, что совершен акт агрессии по отношению к суверенной стране. Я совершенно убеждена в том, что действия России в Крыму и на Украине абсолютно погибельны для России, они закончатся развалом России. Я думаю, что Алексей Анатольевич Навальный хочет добра своей стране и своему народу, а не отдельной клике проворовавшихся, полностью потерявших представление о добре и зле людей, которые узурпировали власть в Кремле.

Красовский: Ленин, который писал свои знаменитые статьи в начале Первой мировой войны, желал блага российскому народу? Помните тезис «за войну»?

Альбац: В отличие от вас я читала, а вы точно не читали.

Красовский: Евгения Марковна, тезис «поражение своему правительству» — это было во благо народу или нет?

Альбац: Тезис о поражении своему правительству был выдвинут Лениным не в начале века, как вы думаете, а...

Красовский: В начале войны, я говорю...

Альбац: Совершенно верно. Когда гибла русская армия. Когда твоя страна оказывается в состоянии реальной войны и гибнут твои сограждане, ты вынужден замолчать. И тезис «поражение своему правительству» в условиях реальной войны, а не той, которая у вас в голове, Антон...

Красовский: У меня в голове Путин, мир и мишка.

(На этих словах Красовский отобрал плюшевое чудище у ничего не понимающего ребенка. «Кто все эти люди, — думал ребенок, — зачем привезли меня сюда, в Москву? Зачем таскают по каким-то глупым гостям и говорят о непонятных вещах? Хорошо хоть Кремль обещали».)

Альбац: У вас просто колоссальные проблемы с образованием, Антон. Люди, которые обкрадывают народ Российской Федерации, которые узурпировали власть, — против этих людей нужно вводить санкции. Об этом была колонка Навального. То, что сделал Навальный, — в русле традиции, которая заложена в России еще со времен Герцена, когда лучшие люди России вынуждены были обращаться к мировому сообществу за помощью, потому что никакого другого варианта нет.

Красовский: Уж коль вы сравнили Алексея Анатольевича Навального с Герценом и Иваном Сергеевичем Тургеневым, то нужно поинтересоваться...

Альбац: Тургенев никогда ничего подобного не писал. А вот Герцен писал. Знаменитые бунинские «Окаянные дни» были.

Красовский: Да, бунинские «Окаянные дни», только это совершенно, совершенно про другое… Скорее про таких, как вы и Алексей Анатольевич.

Альбац: Это неважно. Я говорю о диссидентской традиции, которая восходит к Герцену.

(Всеми силами Ксения Анатольевна пыталась привлечь внимание к себе. Ребята, как бы взывала она, давайте жить дружно, давайте поговорим толково.)

Собчак: Женечка, Ленин, на ваш взгляд, является национал-предателем?

Альбац: Нет, я не могу. Видите ли, я не способна разговаривать в терминах «враги народа», «национал-предатели». Люди имеют право иметь разные точки зрения. (Отчего-то вид самой Евгении Марковны доказывал обратное.)

Собчак: Реально в России сейчас есть национал-предатели?

Альбац: Давайте разберемся в этом. Что такое национал-предатель?

Красовский: Слушайте, я как раз могу объяснить, что имел в виду Владимир Владимирович Путин. Это была чистая аллюзия на лозунги, которые сейчас раздаются на Майдане, в частности на знаменитый бандеровский клич «Нация понад усэ». Использование понятия «нация» вместо понятия «народ».

Альбац: То есть он перешел на риторику самой отсталой части Майдана. А вы были на Майдане?

Красовский: Я был на Майдане, и Ксения Анатольевна была на Майдане, два месяца назад. На Майдане действительно раздавались бандеровские лозунги, нацистские лозунги, потому что «Нация понад усэ» — это нацистский лозунг. И «Героям слава» — это тоже бандеровский лозунг.

Альбац: И что в этом плохого? «Героям — слава»?

Красовский: Да ничего плохого. Просто это бандеровский лозунг.

Альбац: И что?

Красовский: Для людей на востоке Украины это очень существенно (чувствуется, что он из последних сил сдерживает себя). А для людей на Майдане бандеровские лозунги родные. Для всех, а не для какой-то там самой неграмотной части.

Альбац: Вы мне что хотите объяснить? Я вам объясню, солнце мое, потому что вы настолько темный, что сил нет (Красовский и Кристина переглянулись. Собчак испуганно погладила Альбац по руке). Мне это интересно. Но, правда, время на это жалко. Но я вам объясню, Антон. Дело в том, что в политически не структурированных обществах, где нет нормальных политических партий, которые объединяют людей на идейном уровне, происходит объединение по национальному признаку. Ничего в этом дурного нет.

Красовский: Сперва вы говорите, что гитлеровские понятия — риторика самой отсталой части, а потом — что ничего в этом дурного нет.

Альбац: Так, ребята, давайте закончим. Я спорить с вами, Антон, не буду.

(Красовский резко отодвинул чашку. Чашка едва не упала со стола, Собчак испуганно начала извиняться.)

Кристина с любопытством наблюдала за происходящим. Может, думала она, сейчас эта женщина зарежет этого идиота ножницами? Хоть что-то будет любопытное. Ее ожидания были оправданны лишь отчасти. В разразившейся за этим сцене не было крови, зато можно было разобрать отдельные визгливые реплики Красовского («Вы способны только хамить! Вы мне шесть раз сказали, что я полное говно!»).

Среди них Кристине могла бы понравиться почти буквальная цитата из монолога Луиса Альберто «"Выйдите отсюда" будете своей прислуге говорить!». Вскоре наши герои оказались на весенней московской улице.

— Красовский, ну ты совсем обалдел! Это непрофессионально — так себя вести. — Собчак нервно теребила автомобильную зарядку для айфона. — Нельзя поддаваться на провокации.

— Ненавижу вас, ненавижу! — задыхался Красовский. –Пусть всегда будет Путин. Пусть всегда будет Сечин. И Тургенев работал в «Колоколе», и Ленин писал про войну, и закон сообщающихся сосудов — это физика! Физика! ! !

— Успокойся. Завтра, кажется, нам с тобой в Кремль идти.

— Дозвонилась до Суркова? — удивился Красовский. — Я не хочу в Кремль.

— Нас туда и не пустят. Только девочка. А пока в ночи поедем ужинать с Просвирниным. Нужно же как-то и твоих друзей Кристине показать? Тесак, увы, недоступен, так что будет «Спутник и погром».

Урок 4. Просвещенный национализм

— T + —

Где могут встречаться настоящие либералы с идеологом русского национализма? Ну, конечно же, во дворце. Во фраках. Разве можно о хачах — и без фраков?

— Ну я ж говорил, что не налезет, — основатель проекта «Спутник и погром», корежась, пытался хотя бы не порвать пиджак.

— Ну как же ты, Егор, так отожрался? — расстроился Красовский, оказавшийся в итоге единственным опингвиненным собеседником.

— Это я еще похудел на восемь кило. С вами похудеешь вообще, — Просвирнин плюхнулся на стул перед камином. Кристина в парчовом платьице с любопытством села напротив.

* * *

Собчак: Кристина, скажи, у тебя в классе ребята в основном по национальности русские?

Кристина: Ну, у нас мальчик есть. Он темнокожий.

Собчак: Прямо черная кожа у него?!

Кристина: Его зовут Элвин. Он три языка изучает: русский, потом немецкий и азербайджанский. Элвин у нас обычно дерется.

Собчак: Понятно. А он тебе нравится?

Кристина: Нет.

Собчак: Почему?

Кристина: Потому что он темнокожий.

Собчак: Кристиночка, кто-нибудь из учителей не рассказывал вам, что на самом деле люди из разных стран, независимо от цвета кожи, разреза глаз и языка, на котором они говорят, — они все равны?

Кристина: Я знаю, просто он еще учится на двойки.

Просвирнин: Вот в этом проблема. Либеральные диалоги звучат красиво, возвышенно, а когда переходишь к конкретному Элвину — то «двойки и дерется». Идеология национализма в том, что это идеология реализма. В Америке национализм привел к созданию мировой супердержавы.

Собчак: Простите, но Америка как раз классический пример мелтинг-пота, где перемололись все национальности.

Просвирнин: Это и есть национализм — когда людей ассимилируют в американскую нацию. Просто у нас национальностью называют то, что во всем остальном мире называют этничностью.

Собчак: В этом смысле я согласна. Почему тогда и нам всем не быть россиянами?

Просвирнин: А каковы квалифицирующие признаки россиянина? Что касается русской нации — это, конечно же, великая русская культура, великая русская история, великий русский язык. А что такое основа россиянской нации?

Собчак: Все то же самое. Просто это называется «Россия».

Просвирнин: Тогда у нас получается, что значительная часть Кавказа — не члены россиянской нации, да? Они с трудом говорят на русском языке, они совершенно отрицают русскую культуру и русскую историю.

Собчак: А если это человек, который живет здесь, говорит прекрасно на русском, но его зовут Умар Джабраилов?

Просвирнин: А кто-нибудь самого Умара Джабраилова спрашивал, он себя русским считает?

Собчак: Сейчас спрошу. «Кем ты себя ощущаешь — россиянином или чеченцем». (Пишет SMS.)

Красовский: Нет-нет, русским или чеченцем.

Собчак: «Русский» — плохое слово, ребята.

Красовский: «Русский» — плохое слово! Что и требовалось доказать. (Кристина, сидевшая до этого перед камином, с интересом взглянула на взрослых.)

Собчак: Мне кажется, приписывать характеристики всей нации — это начало фашизма.

Просвирнин: Простите, если у нации нет характеристик, то нации не существует.

Красовский: Какие общие характеристики у русской нации?

Просвирнин: Для русских в силу достаточно долгой зимы и достаточно холодного лета характерна психология долгого бездействия, сменяющаяся очень быстрой авральной работой. Двадцать лет спали на печи, тут — раз! — проснулись, давайте Крым присоединять.

Собчак: Какие еще характеристики?

Просвирнин: Огромная нечувствительность к потерям, делающая русских практически идеальными солдатами.

Собчак: Третье.

Просвирнин: Это, конечно, фатализм и равнодушие к смерти. Давайте посмотрим на реакцию на теракты в России: да, скорбь, все плачут, но никаких последствий. Отменили выборы губернаторов и все. Это звучит, простите, почти комически.

Собчак: Ну, вот вы говорите, фатализм и отсутствие страха. Но вот напугали всех этой Болотной, посадили пару десятков человек, и все затихло.

Просвирнин: Какое отношение русские имели к Болотной? Отличие Болотной от Майдана очень простое: на Майдане был украинский национализм, а на Болотной русского национализма не было.

Красовский: Подождите секунду...А почему мы решили, что кто-то испугался?

Просвирнин: Там кто-то со сцены орал «хватайте вилы, пошли бить ментов»?

Красовский: Кто-то вышел и сказал: «Мы не будем договариваться с Путиным». Я в тот момент наблюдал все это со стороны, но люди, с которыми я потом работал, в это время находились в Кремле, и они уже собирали вещи. Минаев публично рассказывал, что приехал в «админку» и, говорит, там были пустые коридоры, на третьем, на шестом. Люди просто тихо начали уходить, как в 1991-м. Все перепугались нереально.

Собчак: Хорошо. На Болотной не было русского народа. Я хочу, чтобы это было зафиксировано.

Просвирнин: На Болотной по большей части были читатели журнала «Сноб». Я не думаю, что они русские люди.

Собчак: Вот по этому принципу, что они читают «Сноб»?

Просвирнин: Слушайте, я открыл сегодня «Сноб», там половина текстов про Украину, и все в стилистике немецкой листовки: «Рус, сдавайся. Бросай винтовку, у тебя нет ни единого шанса выжить». Это значит, люди не ассоциируют себя с русской нацией. Видите ли, принадлежность к русской нации — это политический контракт между индивидуумом и нацией. Этот контракт может заключаться, а может разрываться. Ксения, если вы сейчас напишете о сборе средств в помощь семье Павла Губарева, народного губернатора Донецкой области, которого сейчас посадила СБУ, — я думаю, что значительная часть людей, которые раньше распространяли слухи о вашем еврейском происхождении, тут же признают вас русской.

Красовский: (к Собчак) Зато твои еврейские друзья не будут с тобой общаться.

Собчак: Еврейское происхождение мешает человеку стать русским в нашем государстве?

Просвирнин: Человеку мешают стать русским крики «Рус, сдавайся!». Вы можете стать русским человеком, если будете отстаивать интересы русской нации.

Собчак: Я поддерживаю, например, то, что сейчас происходит в Крыму.

Красовский: И я.

Просвирнин: Плюс десять очков к русскости.

(У Собчак с Красовским в кармане лежали билеты в Крым, так что плюсы к русской карме были им нелишни. Кристина устало дожевывала торт. Был второй час ночи.)

Красовский: Скажи, пожалуйста, а какое будущее ждет Кристину, когда ей будет двадцать лет?

Кристина: Да, какое будет будущее?

Просвирнин: Хорошее. Наши победят.

Красовский: Не ври. Скажи, пожалуйста, Кристина, а тебе хотелось бы, чтобы следующим президентом нашей страны был... Как твоего этого одноклассника зовут? Элвин? Такой как Элвин. Или ты хотела бы, чтобы президентом был русский?

Кристина: Русский.

Собчак: (поперхнулась) Я протестую.

Красовский: Почему тебе хотелось бы, чтобы президент был русский? Просто скажи, что ты думаешь.

Кристина: Я просто хочу, чтобы президент был такой же, как и...

Красовский: И ты? И большинство твоих одноклассников?

Собчак: Хватит подсказывать девочке. То есть ты бы хотела, чтобы президент был россиянином?

Просвирнин: Русским.

Кристина: Президент должен быть таким же, как Россия.

Красовский: А какая страна Россия?

Кристина: Хорошая.

Красовский: А вот ваша учительница в классе как говорит про наш народ — россияне или русские?

Кристина: Русские.

Собчак: Русские. Понятно. Хорошо.

Красовский: Белый город. Великая Вологда.

Просвирнин: Надо переезжать в Вологду, конечно.

Собчак: Какая красивая девочка. Кристин, спасибо тебе большое.

Просвирнин: Какое-то у вас, Ксения, траурное лицо стало.

Собчак: Почему траурное? Ну, пока она ребенок. Естественно, она так говорит.

Эпилог. Кремль

— т +

— Мы обещали показать ребенку Кремль, — Красовский победительно улыбался. — Что там великий Слава?

— Ну что, я послала ему вопросы, а он отказался. Написал: «Наличие четвертого вопроса делает мое участие в проекте невозможным. Есть корпоративная этика. Есть».

— Боже, о чем ты его спросила-то?

— Спросила, можно ли любить Родину и ненавидеть Путина.

— Ну, молодчина. Пойдем возьмем интервью у Аллы Гербер.

— Зато Джабраилов прислал ответ. «Я считаю, — сообщал Умар, — одновременно себя и чеченцем, и россиянином».

— Ну как все они, как все. Только я тут честный русский, — вздохнул Красовский, пиная брусчатку Красной площади. Кристина с Ксенией стояли в толпе налетевших на них детей. «Ксения, мы вас любим», — кричали дети.

— Красовский, попрошу это зафиксировать. Маленькие гаденыши меня любят, — крикнула Собчак.

По соседству всеми пятью рубиновыми звездами светила людям главная корпорация страны.

Часть третья

ИСКОННО НЯШ

Ну кто же тогда мог знать, к чему приведет авантюра с присоединением Крыма по-быстрому, в обход всех международных норм? Многим, и мне в том числе, казалось, что можно только порадоваться за крымчан, которые вроде бы в большинстве своем все-таки этого хотели. В какой-то момент я даже была готова рукоплескать российским властям — хотя бы за то, что все обошлось без кровопролития. Это сейчас я могу увидеть ситуацию в более широкой перспективе... а потому всплескивать руками, вскрикивая «Ну как же так вышло?!» и «Что же теперь делать?!», порой представляется мне единственной адекватной реакцией.

Мы приехали в Крым, когда никто еще не понимал, что все происшедшее — не просто повод наделать футболок с принтами, прославляющими подвиги «вежливых людей», а историческое решение, расхлебывать последствия которого придется как минимум всей Европе, не говоря уже о поколениях — дай бог, чтобы не больше двух — россиян. Наталья Поклонская казалась нам тогда милой и смешной, опасения проживающих в Крыму украинцев — преувеличенными, верноподданнический восторг определенных слоев населения — вполне естественной реакцией на резкий поворот истории.

Я прошу читателей не судить нас строго. В те дни весной 2014 года мы увидели Крым так. А поехать туда еще раз и проверить тогдашние ощущения мы не можем: это было бы нарушением законодательства суверенной Украины.

(Май 2014)

Исконно няш

**Проведя в середине апреля три дня на осво-
божденных территориях Российской Федерации, Ксения Собчак и Антон Красовский встретились с соотечественниками и поговорили
с ними о будущем Крыма**

В начале было слово. И дал его мужчина, о котором, в сущности, не было известно ничего. Только
имя — Саша. Сашу рекомендовали в очень авто-
ритетной и значимой организации как человека по-
рядочного и ответственного, но — главное — ре-
шающего любые крымские вопросы.

1. Куратор

— Ксения, вы с Антоном можете приезжать на референдум безо всяких опасений, мы вам все организуем. Даю слово. И на участки отвезем, и с правильными людьми повстречаем. — Голос в телефонной трубке звучал перспективно.

— А с Чалым нам интервью организуете? — нагло поинтересовалась у Саши Собчак.

— Ну вот с Чалым не уверен, а с Аксеновым попробуем.

— Ребят, я лично против, чтоб вы ехали сейчас, — принялся канючить Усков на редколлегии. — Поймите и меня, сейчас любое ваше появление в Крыму будет расценено как провокация.

— Блин, Усков, ну я-то за русский Крым, Путин — мой кумир теперь. Почему не сейчас-то? — удивился Красовский.

— Ну потому. Еще ничего написать не успеете, а вас там снимут в ваших тельняшках — и все. Нет «Сноба». Давайте все же обождем пока, — рассудительно пробурчал Усков, опрокинув стакан шардоне.

— У меня как раз есть альтернатива, — оптимистично закричала Собчак. — Школа минета. Давайте все учиться сосать.

— Теперь только учиться сосать и остается, — хмуро буркнул Красовский, хлопнув дверью.

— Ну а что он обижается-то? — удивился Усков. — Через месяц поедете.

Через месяц Собчак снова позвонила Саше. За это время о нем стало известно немного больше. Во-первых, появилась фамилия — Бородай. Во-вторых, изменился масштаб фигуры: из безымянного куратора Саша превратился во всесильного демона «Русской весны». Он мелькал то в Севастополе, то в Донецке. Писали, что вчера утром видели его на баррикадах Славянска, а вечером уже на совещании в Луганске.

— А мы бы вас все равно не пустили тогда, — неожиданно объявил дававший слово Саша. — Прямо в аэропорту бы развернули.

— Ну это было бы даже лучше, — ответила Собчак, — какой прекрасный вышел бы репортаж.

Саша, привыкший, видимо, за последние месяцы управлять судьбами народов, немного обалдел от такой наглости: «Ладно, давайте через недельку приезжайте, я пока на Юго-Востоке, а потом вам все организую».

— На Юго-Востоке? — обрадовался Красовский. — Тогда едем срочно. Пока всех этих кураторов нет на месте.

На следующее утро заспанные герои приземлились в русском Симферополе. Бизнес-класс, под завязку укомплектованный серьезными людьми чиновного вида без единой спутницы-дамы, деловито поспешил к выходу. Сойдя с трапа, Собчак уверенной походкой пошла к черному микроавтобусу с надписью VIP на лобовом стекле. У автобуса стояла красивая улыбчивая девушка, окруженная высокими хмурыми молодыми мужчинами в черных румынских костюмах. По однообразным квадратным носам их туфель и форменным подергивающимся желвакам можно было вычислить, что мужчины встречают московских гостей не по дружбе, а по службе.

— Нам сюда? — Собчак словно кремлевским пропуском помахала перед глазами у грустных своим посадочным в бизнес-класс.

— С чего вы взяли? Вам — туда, — грустный кивнул головой в сторону набитого пассажирами эконома автобуса. Тем временем улыбающаяся девушка распахнула дверь вип-кареты сошедшему с трапа мужчине. Мужчина тоже был невесел, его черный костюм, судя по крою, был сшит в Италии, мягкие туфли — где-то там же. По всему было видно, что служит он в той же организации, где и встречающие, но чином значительно выше.

— Безобразие какое, — Собчак с возмущением втискивалась в автобус с лохами из эконома. — Это ж нарушение всех правил перевозок.

— А ты Бородаю пожалуйся, — прохрипел Красовский, придавленный к дверям мускусной полной бабой-начальником.

Оказалось, впрочем, что до выхода метров двадцать, и вся эта катавасия с автобусом затеяна, исключительно чтобы помучить сто пятьдесят человек. Пограничный контроль-то убрали, а привычка издеваться осталась. Если русский человек утратит эту привычку, если у него вдруг пропадет желание унижать другого русского человека, то Россия падет, исчезнет, сотрется с карты мира и из памяти народов.

Весь следующий час, покачиваясь уже в «мерседесе» на кочках крымских дорог, Красовский думал об этой странной русской потребности. Потребности, сделавшей эту нацию такой непобедимой и уязвимой одновременно. Привычка унижаться спасала русских во всех бедах, при всех нашествиях и войнах. Потребность унижать сплотила русскую империю, покорила соседние народы, поставила на колени два континента. И где бы сейчас волею судеб ни оказывался русский человек, именно невозможность удовлетворить эту потребность вызывает в нем страдания и ностальгию.

Только рабы способны обеспечить империи мировое господство, и только рабам так просто верится в то, что они и есть господа. Именно поэтому с такой радостью жители Крыма встретили на своих улицах суровых людей в камуфляже, которые вмиг заставили подчиниться и самих крымчан, и их недавних украинских хозяев.

2. Виноделы

— Приехали, Красовский. Хватит спать, — Собчак бодро выпрыгнула из минивэна прямо на распаханную грядку.

— Это что такое?

— Виноградники, идиот.

И действительно, по всем склонам холмов, в долине и вдоль дороги, утыкаясь в горный сосновник и прячась в расщелинах скал, росла лоза. Аккуратные столбики, перевязанные проволокой, издалека напоминали шикарно устроенные минные поля.

— Это у нас каберне, а это мы посадили 10 гектар барберы. Я, кстати, Паша Швец.

Невысокий, сноровистый и явно оборотистый человек подал руку Ксении, когда та неуклюже споткнулась об обломок известняка.

— Это ваше все? — спросила Собчак.

— Наше. И хотим сейчас еще немного докупить, — Паша махнул рукой куда-то в сторону Чуфут-Кале.

— И это все имеет смысл? — удивилась Собчак. — Кому-то нужны эти ваши вина?

— Посмотрите, какая почва. Это же известняк. В этих широтах, когда не слишком жарко или холодно, такие почвы есть только в Бургундии. Крым — место, где могут и будут делаться настоящие великие вина.

— А как же вы все это поливаете тут? Воду-то вам хохлы отключили, говорят, — зевнул Красовский.

— А винограду вода не нужна. Чтобы получилось настоящее вино, лоза должна мучиться. Она должна сквозь этот камень пробиться и сама дойти до воды.

— Вот так же и русский человек, — вздохнул Красовский. — Если не пострадает, так дрянью и помрет.

— А тут, глядите, мы сделаем ресторан.

Между виноградниками на холме шла стройка.

— Думаете, сюда будут ездить? — удивилась Собчак.

— Еще как. Я вам гарантирую, что через пару лет тут будет Мекка экотуризма.

— А сейчас где бы нам перекусить? — оглядываясь по сторонам, спросил Красовский.

— Ну поехали уже в Севастополь. Там отличное есть место.

На летней веранде под раскидистыми платанами сидели несколько человек.

— Это, кстати, наши коллеги, — сказал путешественникам Швец. — Владельцы компании Esse, тут это главный производитель нормального вина.

— Ой, Ксения, Антон, это вы? — удивилась симпатичная блондинка.

— Вы и меня знаете? — ошарашенно спросил Красовский.

— Ну конечно. Мы все время читаем ваши репортажи. Я Марианна.

— А давайте мы тогда к вам подсядем, — предложила Собчак. — А вы нам заодно и расскажете, как у вас все устроено.

— Прекрасно, — улыбнулся седоватый качок. — Я, кстати, Руслан.

— Руслан у нас несогласный, — хихикнул Швец.

— Как у вас бы сказали — майданутый, — продолжал улыбаться Руслан.

— Ну это я уже по улыбке понял, — подозрительно прищурился путинист Красовский. — Наши люди просто так не улыбаются. Ну рассказывайте, почему вы нашего Путичку ненавидите?

Руслан: Да не ненавидим. Просто мы хотели, чтобы он у вас остался.

Собчак: Ну и что, вам плохо будет? Теперь вот вы в России, у вас бизнес больше.

Руслан: Мы, в принципе, в Россию продавали, и проблем не было никаких. Но при этом у нас был рынок Украины, который в перспективе имел даже больший потенциал развития. Хотя, конечно, потребителей в Москве и в Питере больше, просто по количеству и по богатству. Но с точки зрения национальной преданности у украинцев это больше развито. То есть в Москве, что бы мы ни рассказывали, будут пить Италию, Францию в большинстве случаев.

Собчак: То есть вы против России голосовали.

Руслан: А мы вообще не ходили. Референдум-то нарисованный был. Смысл ходить? Мы, наоборот, попытались собраться, 20 человек с украинским флагом. Ну нас побили жестоко. Вот, например, мы майдановцы, и есть условный лагерь антимайдановцев. Ни те ни другие реальности не знают, но мы мечтаем о чем-то. Наша мечта — это права человека, право выбора, право собираться на митингах, право доступа в интернет, чтобы никакой сука Колесниченко мне не перекрыл сайт. Право перемещаться по миру. Это вот, для меня это ценность. Это мечта, это будущее. А какая мечта у Антимайдана?

Красовский: Гарантированные пенсии в два раза выше.

Руслан: Это материальное.

Красовский: Материальная мечта — это нормальная мечта. Ее можно потрогать.

Собчак: Много людей, которые думают так, как вы?

Руслан: Мало. «Зомби» смотрела фильм с Бредом Питтом? Вот приблизительно так мы и живем сейчас. Ходим аккуратненько, не привлекаем внимания. Потому что, если ты побежишь, за тобой побежит толпа всех этих вежливых людей.

Красовский: Сейчас мы влетели в Крым, и это такое довольно унылое впечатление, скажем честно. Город Симферополь — это прямо печалька.

Собчак: То есть Антон хочет сказать, что, может быть, для Крыма будет лучше, что сейчас Путин. Любим мы его, не любим, но для него это новая игрушка. Он будет вкачивать сюда деньги, будет расти экономика. Мы летели — весь бизнес-класс забит чиновниками. Люди приезжают сюда что-то там мутить, шуршать. Может, все-таки лучше будет?

Руслан: Нам надо дать возможность. Не надо нам давать деньги. И Украине не надо давать деньги. Украине не надо мешать. Дайте возможность.

Собчак: Ну, вы же занимаетесь бизнесом, вы должны понимать в экономике. Вы понимаете, что сейчас Украина реально банкрот.

Руслан: Ребята, давайте скажем так: да, банкрот. Мы не будем разбирать, почему. Банкротство — это не конец жизни. Начинаем с нуля. Тяжело будет первое время, согласен. Антон, я хочу сказать, не все в деньги упирается. И не все в пенсию. Вот я даже так думаю: сколько я готов зарабатывать? Допустим, я зарабатывал миллион долларов. Готов я зарабатывать 200 тысяч долларов, но имея те ценности, те свободы, которые я перечислил? Вы знаете, готов.

Собчак: Большинство не готовы, понимаете?

Руслан: А это другой вопрос. Я понимаю, большинство. Особенно здесь, в Крыму, в восточной части Украины.

Собчак: Вы обсуждали, что дальше делать?

Руслан: Уехать мы не можем. Потому что виноградники не выкорчуешь, никуда не пересадишь. Мы остаемся. Сейчас у нас вопрос, что нам делать — получить вид на жительство, то есть отрекаться от гражданства российского? Это облегчит выезд за границу, но, с другой стороны, мы понимаем, что часть ограничений уже есть в законодательстве России. Владеть сельхозземлей иностранцам нельзя, допустим. Ну, это полбеды, это можно скинуть на родственников, создать компании. Вопрос в другом: мы не знаем, как сейчас будет ситуация разворачиваться дальше, в горячую фазу переходить.

Собчак: Ну и что вы решили с паспортами?

Руслан: Мы склоняемся к виду на жительство. То есть я не знаю. Я сам русский. Я родился в Симферополе. Мариша родилась в Севастополе.

В принципе, по культуре мы все равно русские. Но мы из-за всей этой аннексии стали какими-то националистами украинскими. Хер его знает, как так получилось.

Красовский: А с чего все началось?

Руслан: Чалый здесь собрал 10 тысяч горлопанов, действительно реальных, но мало что понимающих.

Красовский: Чалый — уважаемый мужик?

Руслан: Он реально уважаемый человек. Он не подлец, как многие, кто рядом с ним стоит. Он собрал 10 тысяч народа. То, что это люди-зомби, но они искренние зомби, тоже реально. Я не буду говорить, что они пришли за деньги, не буду обманывать.

Марианна: Нет, они не проплаченные.

Руслан: Эти 10 тысяч человек — да, они были искренние. Но это не та энергия, понимаешь? Все-таки для меня Майдан — это положительная энергия, это энергия вверх. А эта энергия вниз, это некрофилия, это кладбище, это «будем охранять могилы наших отцов и дедов». Это не будущее, это прошлое, понимаешь? Поэтому без «зеленых человечков» эта энергетика бы рассосалась, растворилась.

Красовский: Вот вчера понимающий человек Кашин опубликовал такую фоточку в твиттере, скриншот с его телефона. Типа: «Мне звонили три человека — Тимур Олевский с "Эха Москвы", известный борец за, так сказать, независимость Украины. И два неопределенных номера». И я вижу, что один из этих номеров — это куратор юго-востока.

Собчак: Вот этот Саша?

Красовский: Саша, да. И я пишу Кашину: «Кашин, а что ты можешь про Сашу сказать?» На что Кашин мне пишет: «Не буду тебе говорить, меня еще убьют». В итоге у всех ощущение…

Марианна: Гаденькое.

Красовский: Что ты делаешь что-то не то, да. У всех. Даже у тех людей, которые делают что-то правильно.

Марианна: На самом деле разница между Киевом и ситуацией здесь в том, что люди там не обливали Россию грязью. Никого Россия в этой истории с Майданом не интересовала по большому счету. Не про Путина была история. Мы, может быть, иллюзии строили на этот счет. Мы-то думали, что не про Путина, а на самом деле-то про Путина!

Собчак: Для него это блестящая возможность, помимо всего прочего, еще и показать, чем может закончиться любой бунт, любая революция. Теперь этим можно пугать еще три поколения.

Павел: Не, ну есть тоже вопрос такой. Реально ли те механизмы майдановские сработали? Есть пословица: революцию делают романтики, а благами ее пользуются подонки. Что будет дальше, тоже не совсем ясно, да.

Руслан: Вот у меня друг в Одессе производит шампанское «Французский бульвар». Он позвонил мне: слушай, как-то не поднимается рука не платить налоги. То есть я же понимаю, что страна в таком состоянии — надо платить. Раньше я бы просто скрыл их, оптимизировал.

Собчак: Такой патриотический настрой есть?

Марианна: В Киеве то же самое...

Павел: Вот, вы говорите, что я толерантен и осторожен, но тоже, понимаете... Смотри, какое небо!

Над столом фиолетовой густотой нависло южное крымское небо.

Небо накрыло бухту, поросшие белыми холмиками домов склоны. В небе плыли боевые корабли и прогулочные катера, мороженщица, экскурсоводы, гопники и менты. В небо воткнулся выросший из него же памятник погибшим морякам, в небе утопал весь этот благословенный поднебесный край. И только люди в камуфляже, вальяжно разгуливавшие по вымокшей в небе набережной, были чужие тут. С земли. С большой земли.

— А хорошие эти ребята винные, — задумавшись сказала Собчак, забираясь на катер.

— Давай напяливай, — Красовский всучил подруге теплый полосатый тельник. — Надо же как-то порадовать читателей традиционными колядками. Ты морячка, я моряк.

— Ой, Ксенечка, — улыбнулась монотонная экскурсоводша, — так вам идет. Такая честь для нас.

— О-о-о-о-о, Собчачка, — кричали вслед небесные гопники. — Сфоткайся с нами. Давай.

Но Собчачка не хотела фоткаться, она хотела поскорей спуститься с этих небес и вернуться на свою милую удобную и серую землю.

— Поехали, Красовский. У нас сегодня еще компьютерщик этот запутинский.

— И татарин антитатарский, — вздохнул Красовский.

3. Топ-менеджер

— **т** +

В офисе программистов было тихо и холодно. Перед входом на фоне разноцветных флагов сидел охранник. На специальной подставке флаги России, США, кажется — Франции. И дыра.

— Это тут украинский был, что ли? — усмехнулся Красовский.

— Точно, — улыбнулся в ответ охранник. — Тут ему не место.

В кабинете, в кожаном министерском кресле сидел невысокий человек, похожий на заместителя министра торговли.

— Это наш генеральный директор Игорь Цимбал, — представила человека девушка-проводник.

Собчак: Правильно ли мы понимаем, что после всех событий, которые произошли здесь с переходом Крыма к России, ваши американские партнеры отказались от сотрудничества с вами?

Цимбал: Ситуация состоит в том, что от нас отказались не наши американские, а, скорее, наши львовские партнеры. Но решение, действительно, принял глава компании, американец.

Собчак: Как он объяснял, что он сказал?

Цимбал: Объяснение, честно говоря, небизнесовое: он сказал, что клиенты не хотят с нами работать.

Красовский: И как вы сейчас собираетесь выстраивать бизнес?

Цимбал: В настоящий момент связались с крупными софтверными компаниями в России, с бывшими конкурентами, там сильно заинтересовались. Дело в том, что, без лишней скромности, IT-индустрия Украины на порядок выше, чем в России.

Красовский: А почему она лучше? Я, честно говоря, впервые об этом слышу, я никогда об этом не слышал ни от американцев, ни от англичан.

Цимбал: Просто так исторически получилось, что, во-первых, программирование было развито сильно, а еще было развито управление. Программирование — это не только программисты, это еще и организация работы — вот она выше. У нас ближе к тому, как это на Западе делается. Если посмотреть на IT-индустрию

России, там от трети до половины компаний работает на внутреннем рынке. На Украине работать не с кем. Соответственно, все работают на аутсорсинг.

Красовский: Почему же тогда вы и большинство людей в вашей компании были за то, чтобы Крым и, соответственно, ваша компания отделились от этой Украины и вошли в Россию? Притом что вы говорите: «Ну не знаю, ищем проекты, будем выстраивать».

Цимбал: Это наши личные политические взгляды, мы хотим быть в России.

Красовский: Тогда мне непонятны ваши личные политические взгляды. У вас прекрасная страна, вы номер один в вашем производственном секторе. Чем она плоха?

Цимбал: Вы знаете, для меня, например, просто неприемлемо прославление Бандеры, я Бандеру считаю действительно сволочью…

Собчак: Слушайте, у нас многие считают Сталина сволочью, а часть населения любят Сталина и город в его честь переименовывает на какие-то дни в году. Мне что теперь, в России не жить, что ли?

Цимбал: Вы знаете, может быть, я вам в этом отношении не понравлюсь, но мои дедушки и бабушки до самой смерти Сталина считали хорошим человеком.

Красовский: А на Западной Украине огромное количество людей, которые считают Бандеру героем. Неужели для вас так существенна эта история: Шухевич, Бандера, Сталин? Какое к вам это имеет отношение? Вы не сидели в концентрационном лагере Заксенхаузен, в отличие от Степана Андреевича Бандеры, не брали Прагу, не сдавали Севастополь. Здесь нет улицы Бандеры. Вот одна улица Советская, другая улица Володарского. Ведь вся эта история той войны уже никого не волнует.

Цимбал: Может быть, у вас не волнует, а здесь всех волнует. Здесь 20 лет только и разговоров, что нас оккупировали.

Собчак: Если вас оккупировала Украина, то почему до того, как начались связанные с Майданом события, Крым не подал свой голос за то, чтобы присоединиться к России? Если это такой был больной вопрос?

Цимбал: Я вам скажу на самом деле, больной вопрос был не столько в Россию вернуться, сколько русский язык.

Собчак: То есть мечты вернуться в Россию у подавляющего большинства жителей Крыма не было?

Цимбал: Я не знаю, как у других. Я скажу честно про себя. Я, может быть, видел там не Россию, а СССР. Но когда я говорю СССР — я не говорю «строй», я говорю...

Красовский: Общность. Мы хотим в империю.

Цимбал: Понимаете, у меня была здоровая родина, империя, действительно, и я сторонник империи. Извините, мои предки были офицерами Российской империи, я сам работал в соответствующих структурах, и я, мягко говоря, за империю был всегда. Поэтому я не вижу в этом ничего плохого.

Красовский: Есть такая идея сейчас в России — сделать в Крыму русскую Силиконовую долину, которую пытались устроить в Сколково. Как вы относитесь к этой идее?

Цимбал: Если честно, эта тема совсем не новая здесь. Украина же носилась буквально с этой же идеей.

Собчак: Но вы верите, что это возможно? В Сколково вот не получилось.

Цимбал: Вот, смотрите, 2002 год, Севастополь, у нас здесь IT практически не было, небольшие компании по 15-20 человек. Мы организовались в 2002-м, а уже через 4 года у нас 96 человек, а недавно было 200, и планировалось, что к концу 2017 года будет 500 сотрудников в компании. Работать просто надо, надо ребят организовывать. Надо просто делать.

4. Представитель коренного народа

— Какие они все-таки смешные все, — сказал Красовский, выйдя из компьютерного офиса. — Ты понимаешь, что они сами не понимают, кто они — русские или украинцы. То есть Бандера — ужас-ужас, а промышленность наша — украинская — куда лучше вашей. Русские с ними еще намучаются, вот увидишь.

— Ладно, поехали посмотрим на этого татарина — и в гостиницу, — зевнула Собчак.

Через четверть часа путешественники оказались перед одноэтажной грустной мазанкой с какой-то смешной вывеской. То ли милли-ванили, то ли трали-вали. За дверью мазанки сидел полный мужчина в плохом костюме с русским флажком в петлице — Васви Абдураимов, глава организации «Милли Фирка».

Собчак: Нам вот что интересно. Традиционно в этом регионе татары выступали против присоединения к России. Вы, наоборот, этот процесс приветствуете.

Абдураимов: Хочу сразу поправить. Нельзя говорить, что татары выступали против.

Красовский: Ну «Меджлис».

Собчак: Они, собственно, и есть представители большинства.

Абдураимов: Ну, знаете, чтобы говорить о вопросах большинства и меньшинства, надо иметь статистику. А когда ее нет, это все субъективные оценки. Мы выступали за.

Красовский: И все же не представитель вашей организации, а Мустафа Джемилев из «Меджлиса» летал на встречу с Владимиром Владимировичем Путиным. Это значит, что для Кремля это знаковые люди, да?

Абдураимов: Очень просто. «Меджлис» является хоть и незарегистрированной организацией, но силой, влияющей на достаточное количество крымских татар. Понятное дело, зачем приглашать тех, которые и так свои, которые и так проголосуют, как подсказывает сердце?

Собчак: Смотрите, у «Меджлиса» огромные бюджеты, огромные вливания. Теперь для России, как мне кажется, очень важно заручиться вашей поддержкой, чтобы хотя бы какая-то часть крымских татар была на стороне российской интеграции. А вы сидите в этом очень скромном здании, у вас явно нету какого-то большого финансирования. У вас уже были какие-то предложения от русских?

Абдураимов: Ну, первые официальные контакты были.

Собчак: А через кого? С кем вы связывались?

Абдураимов: Давайте я вам не буду об этом говорить?

Собчак: С Александром? С Сашей, наверное?

Абдураимов: Ну, я этого не говорил.

Собчак: Хорошо. Представьте, что вам нужно завтра выступить на каком-то митинге или на телевидении и очень кратко объяснить людям, почему татарам будет лучше с Россией, а не с Украиной. Что бы вы могли коротко и ясно для народа сказать?

Абдураимов: В Российской Федерации и в возрождаемом новом проекте, в Евразийском союзе, живет более 90% наших кровных братьев-тюрков. Татары, башкиры, калмыки, балкарцы и так далее. И появляется возможность более тесных интеграционных моментов в поддержке друг друга. Если в Украине нас, тюрков со всеми диаспорами, было до миллиона, допустим, то сейчас будет более 20 миллионов.

Красовский: Уже 20? Тюрков-мусульман? В России?! Кошмар какой!

Собчак: Антон! Что за... вообще?!

Абдураимов: Потому что это не только ваша страна, но это и наша страна.

Собчак: А то, что Россия более авторитарное государство, чем Украина, — это не смущает?

Абдураимов: Нет, не смущает. Наш народ, который прошел огромные испытания и прожил в разных режимах, в том числе и в Средней Азии, я думаю, внесет свой вклад в общую, так сказать, демократизацию.

Собчак: А с чего это в демократизацию он внесет вклад? Вы всегда жили при авторитаризме.

Абдураимов: Но при этом мы умели решать вопросы. Я могу сказать, что мы, не имея никакого государственного управления, сумели самоорганизоваться и «на выселке» в виде национального движения крымских татар, и на сегодняшний день.

Красовский: Странно говорить об этих 20 миллионах тюркоязычных россиян, когда у вас под боком 60-миллионная Турция. Огромная страна.

Абдураимов: Мы это тоже присоединим к авторитарной России и объединим весь тюркский мир одной страной, которую мы называем Тюркским союзом, а другие называют Русским миром. Я вам еще раз говорю, это не только ваша страна, это наша страна в том числе. И мы от своей страны никогда не откажемся.

Собчак: Послушайте, в этой стране, в которую вы вернулись...

Абдураимов: Не «в этой стране». Это наша страна. Мы вернулись в нашу страну.

Собчак: ...В нашей стране вы должны знать, что сейчас очень сильна нелюбовь к чужакам.

Красовский: Поверьте мне, Киев в миллиард раз более интернационалистический город, чем Москва. То есть в Москве прямо в метро бьют черных.

Абдураимов: Понимаете, в чем дело... Есть проблемы, но все проблемы решаемы. У нас, у тюрков, есть пословица: есть только одна проблема, которую не может решить человек, — это его смерть. Мы надеемся, что сумеем решить свои главные проблемы — восстановить доброе имя, вернуть 100 тысяч наших соотечественников, застрявших «на выселке» в Средней Азии, которые никак не могут вернуться. Обустроиться здесь более-менее, для того чтобы выполнять главную миссию человека — плодиться и размножаться.

5. Министр

— T +

Нелепое строение 70-х годов, похожее то ли на типографию, то ли на ПТУ, оказалось министерством туризма Крыма. По неуютным ободранным коридорам вереницами бегали разной красоты девушки. Дверь, другая, приемная, в приемной — сразу три миловидные брюнетки. Одна из них, увидев Собчак, распахнула дверь министерского кабинета.

— Ой, Елена Анатольевна ждет вас, проходите.

За столом вместо министра оказалась очередная белозубая красотка. На этот раз — блондинка.

Собчак: Какой-то прямо праздник женской красоты в Крыму. Намерено это или так случайно?

Блондинка, оказавшаяся министром, смущенно улыбнулась.

Красовский: А кто вас всех назначал? Вы работали здесь до новой власти?

Юрченко: Я была вице-мэром Ялты. Потом у меня был перерыв. А потом мне сделали предложение стать министром туризма. Сложное предложение.

Собчак: Почему сложное?

Юрченко: Это самая большая ответственность, какая только может быть. Это же предназначение Крыма — быть туристическим центром.

Собчак: Объясните нам тогда, пожалуйста, почему этим летом лучше поехать в Крым, а не в Сочи или в Одессу?

Юрченко: Наверное, потому, что Крым — это дом для многих россиян. За последний сезон, лето 2013 года, из общего туристического потока в Крыму россияне составили 20-25 процентов.

Красовский: А украинцев?

Юрченко: А украинцы все оставшееся, на самом деле. И совсем небольшой процент составляют зарубежные туристы.

Собчак: Ну и чем Крым лучше, чем, с одной стороны, Одесса для украинцев или чем Сочи для русских?

Юрченко: Вы знаете, Ксения Анатольевна, дело в том, что я очень давно не была в Сочи. У нас такая сейчас задача конкретная: готовиться к туристическому сезону, который уже начался. Поэтому особо никуда не поедешь. Мне кажется, что Сочи — это нечто такое суперклассное, фундаментальное, очень мощное. А у нас есть разное.

Собчак: Может быть, вам будет неприятно. Но вот сегодня, честно говоря, мы остановились в гостинице «Украина». Так там ужасно.

Красовский: Может, потому что название такое. Ужасное.

Юрченко: Мне тоже не очень она нравится. Дело в том, что у нас есть понятие «курортных территорий». Симферополь — это так называемая столица, и она не совсем предназначена для туризма... И дело даже не в этом. Ребята, 23 года в эту структуру не вкладывалось ни копейки.

Красовский: Смотрите, с одной стороны, все говорят, что хохлы ничего не вкладывали, все ужасно, Россия, Россия, Россия! С другой стороны, 65 процентов всех туристов были с Украины. А сейчас будет туристический сезон, и с Украины никого не будет, мы это уже понимаем.

Юрченко: Нет, мы это не понимаем. Это все равно наши люди, это наши родные. Мы с ними прожили и живем с ними. И то, что происходит сейчас в Восточной и Центральной Украине, — это для нас огромная боль, боль членов одной семьи. (На глазах министра выступили слезы.) Если не будет никаких препонов на границе с Украиной...

Собчак: Вопрос не в препонах, а в том, что они, может быть, с точки зрения своих принципов не захотят сюда поехать.

Юрченко: А вот здесь, Ксения Анатольевна, я как раз хочу сказать, что те люди, которые ездили сюда поколениями, все равно приедут, если будет возможность — не перебьешь ничем. Конечно, есть достаточный процент граждан в Украине, которые придерживаются иной точки зрения...

Красовский: Ну, хорошо. В конце концов, действительно, есть Донецк, Луганск, Днепропетровск, которые сюда приедут независимо от настроений на Украине. А у вас есть предположение, что количество русских туристов должно увеличиться?

Юрченко: Конечно.

Собчак: Вот если бы у вас была возможность попросить у президента, например, или у кого-то еще большой бюджет на какую-то целевую туристическую вещь, что бы вы попросили? Что самое главное?

Юрченко: Я уже попросила.

Красовский: И что попросили?

Юрченко: Я внесла предложения в целевую федеральную программу. Совершенно неожиданные, совершенно банальные вещи. Все, что связано с инфраструктурой туристической территории.

Красовский: Дороги?

Юрченко: Нет, это вопросы очистных сооружений, берегоукрепления, мусоропереработки. У нас всего, вслушайтесь в цифры, 825 коллективных объектов размещения — это санатории и гостиницы. Более чем 4,5 тысячи мини-отелей и 14 тысяч квартиросдатчиков, и то две последних цифры я называю «серыми». Патенты мы сейчас только вводим. Мы очень рады этому. Этого, кстати, хотят все. Это те вопросы, которые нужно решать.

Собчак: У меня к вам последний вопрос. Обычно, когда разворачиваются большие программы по туризму, страны и регионы выбирают какое-то лицо, желательно живущее в этих местах или которое их там любит, которое идеально представляет регион. Кто, на ваш взгляд, мог бы представлять Крым из известных людей, от Софии Ротару до...

Красовский: Дмитрия Константиновича Киселева.

Собчак: ...Киселева и так далее.

Красовский: Вот Ксения Собчак, например, рекламирует Израиль сейчас.

Собчак: Сейчас не об этом. Кто для вас идеальное рекламное лицо Крыма?

Юрченко: Знаете, я, может быть, сейчас подумаю о критериях и выйду на какое-то лицо. Во-первых, это должно быть очень человечное лицо.

Собчак: Я бы выбрала Софию Ротару. Почему не Софию Ротару?

Юрченко: Однозначно не она!

Собчак: А почему, интересно?

Юрченко: Я склоняю голову перед ее певческим талантом, перед артистизмом, перед ее женственностью. Но, наверное, есть вторая сторона медали, которая мне, как бывшему вице-мэру Ялты, понятна. Поэтому нет.

Собчак: А какая вторая сторона медали?

Юрченко: Я не могу сказать. Есть обязательства, которые не выполнены, есть обязательства, которые переиначены.

Красовский: Хорошо, значит, лицо должно быть очень человечное. Мужчина или женщина?

Юрченко: Женщина. Это даже не обсуждаем.

Собчак: Во-первых, Крым ассоциируется с красивыми женщинами сейчас. Вы очаровательный человек. Я, честно говоря, ожидала встретить тетечку с прической, а вы в таком костюме модном с жабо.

Юрченко: Я пиджак сегодня надела только ради вас. Я хожу в джинсах и в футболке. Я оделась сегодня, потому что меня очень ругают за мой внешний вид, за то, что я как бы очень демократична.

Красовский: Вас надо с Капковым задружить. И вообще как-то двигать по политической линии.

Юрченко: Я вам честно скажу, у меня нет времени для политической карьеры, потому что мне уже достаточно лет.

Собчак: Ладно, давайте вернемся к человечному лицу.

Красовский: Значит, женщина. Не София Михайловна Ротару.

Собчак: Алина Кабаева?

Юрченко: Нет. Во-первых, это должен быть все равно русский человек. Русский... Можно я уже сниму пиджак?

Собчак: Давайте.

Юрченко: Я вам скажу сейчас почему. Вы понимаете, прародительница кто? Богиня Лада. Я говорю о наших богах, о славянских. Считается, что Азов — это рождение богини Лады, и Крым — это святое, это порождение русского духа. Поэтому это однозначно женщина, потому что прародительница. И поэтому человечная.

Собчак: Кто самая человечная русская женщина? Я как журналист требую конкретики. Человечная, сорокалетняя, русская.

Юрченко: Я сейчас скажу такую вещь, раз уж об этом заговорили. Если бы не прошедшие 20 лет, то Наталья Гундарева... Ее уже нет, но это моя любимая актриса, и вот для меня это образ Крыма.

Собчак: Чулпан Хаматова?

Юрченко: Да, может быть.

Красовский: Татарка. Снимаем крымско-татарский вопрос. Мать. Детям помогает. Звезда.

Собчак: Послушай, нельзя Чулпан Хаматову рвать как тузик грелку. Я бы взяла, наоборот, из молодого поколения. Какую-нибудь новую чемпионку, Липницкую. Свежая, новая кровь Крыма, понимаете?

Юрченко: Можно и этот вариант. Но все равно с оттенком материнского подхода. Понимаете? Крым — он сейчас требует элементарной материнской заботы.

Собчак: А кого здесь любят из российских звезд?

Юрченко: Кого любят? Знаете, вот все равно, наверное, накладывает отпечаток изоляция и то, в чем мы варились. Мне даже страшно сейчас. Потому что настолько мы были наточены на совершено другие вещи. Ужас, что творится с нашим мировоззрением и мироощущением.

Красовский: Вы ощущали себя украинской провинцией, что ли?

Юрченко: Да, вы вот сейчас как бы не о нас говорите. А это о нас. Я даже поверить не могу.

Слезы наконец потекли по щекам министра.

Собчак: А можно я вас попрошу нам как-то посодействовать? Мы очень хотим взять интервью с Поклонской, с вашей прокуроршей красивой.

Юрченко: Что-нибудь придумаем. Ее же тоже курировала Ольга Ковитиди, которую сегодня назначили сенатором от нас. Позвоню сейчас.

Юрченко подошла к столу, набрала какой-то номер:

— Привет. Слушай, скажи, во-первых, а кто нас сейчас будет курировать вместо Ковитиди? Шеремет? Силовой блок? Ну вы с ума сошли: ну где туризм, а где силовики? Хватит уже, давайте нас в культуру отдавайте. Во-вторых, как с Наташей Поклонской связаться, тут ее, не поверишь, Ксюша Собчак разыскивает. А? Да? Записываю.

Спустя минуту перед путешественниками лежал еще один телефонный номер, по которому невозможно было дозвониться.

6. Прокурор

— T +

— Ну как нам поймать эту Наташу? — по всему было видно, что без встречи с Поклонской Собчак из Крыма не уедет.

— Поехали прямо в прокуратуру, там решим.

— Кто ж нас туда пустит? — то ли испуганно, то ли лениво скривился Красовский, спускаясь по выщербленным ступеням министерства туризма.

— Поехали, говорю, — и Собчак затолкнула приятеля в микроавтобус.

Поворот, другой, какое-то дерево, забор. «Где тут прокуратура?» — шофер бесконечно высовывался из окна, не находя дороги.

— Да что ж вы ничего не знаете, — начала возмущаться Собчак. Вы ж местный.

— Я севастопольский, а Симферополь — вообще другой регион, — обиделся водитель. — Вон туда, наверное, надо идти.

У здания через дорогу толпились люди, ворота охраняло пятеро мужчин в камуфляже.

— За мной, — скомандовала Собчак, и Красовский с фотографом покорно побежали за ней.

Увидев Ксению, вежливые люди распахнули ворота.

— Этих тоже пустите, это со мной, мы к Поклонской, — закричала Собчак, и всю группу нелегальных папарацци безропотно пустили на территорию самого охраняемого объекта Крыма.

В здании был еще один пункт охраны.

— Куда идти, знаете? — не потребовав никаких удостоверений, спросил вежливый мужчина.

— Нет, — честно ответила Собчак. Вежливый мужчина растерянно захлопал глазами. Видимо оттого, что и сам не знал дороги.

— Та вам на третий этаж, — крикнула какая-то женщина из коридора. — Поднимайтесь и налево.

Через две минуты диверсионный отряд был уже в приемной прокурора Крыма.

— Ой, — вскочила из-за стола немолодая секретарша. — Это все-таки вы.

— Ой, а как вы сюда прошли? — вскочил с дивана модельной внешности качок с кобурой на боку.

— Мы только от министра туризма, мы вот делаем репортаж, нам очень надо встретиться с Наташей, — залепетала авантюристка Собчак, Красовский тем временем стыдливо переминался с ноги на ногу у двери.

— Ой, ну я не знаю, — сказала секретарша. — Мы сейчас доложим, подождите в зале для совещаний.

— Телефоны только положите вот сюда, в корзинку.

В зале для заседаний стоял огромный овальный стол лакированного дерева, за пустотой стола равнодушно наблюдал висевший на скучной стене портрет президента Путина.

— Ой, Это действительно вы, — в зал вошла невысокая красивая девушка из интернет-роликов. — Так это все-таки, значит, вы звонили?

— Я?! — удивилась Собчак.

— А это разве не вы звонили несколько дней назад?

— Нет, наверное это были пранкеры, я не звонила.

— Панкеры? — удивилась Поклонская.

— Да нет, пранкеры. Это люди, которые звонят чужими голосами или просто специально нарезанные записи ставят и разводят.

— Ну все равно, — недоверчиво посмотрела на Собчак наша няша, — надо с Москвой связаться. Я без разрешения Генеральной прокуратуры не могу давать интервью. Наталья Федоровна, — обратилась Поклонская к строгой неулыбчивой женщине, отработавшей, судя по виду, лет 25 замначальника женской колонии по воспитательной работе, — надо позвонить в Москву.

Женщина, неодобрительно поглядев на москвичей, фыркнула и вышла.

— Ну пойдемте пока ко мне, без записи-то мы можем поговорить, — обрадовавшись редкой возможности остаться без присмотра, сказала Поклонская.

— Наташ, а клип-то вы сегодняшний видели? — по дороге поинтересовался Красовский.

— А что-то новое появилось? — испуганно спросила девушка.

— О, жутко смешное, — обрадовалась возможности развлечь строгую публику Собчак. — Где у вас тут есть интернет?

— Да вот в приемной и есть.

— А мы уже завели, — неожиданно улыбаясь сказал красивый качок. В компьютере заиграла знаменитая теперь композиция «Няш-мяш, Крым наш». Секунд через сорок Поклонская заплакала: «Какая гадость».

— Наталья Владимировна, — успокоил ее красивый качок, — финал будет очень хороший. Добрый финал.

— Да? — моментально успокоилась Поклонская. — Ну, досмотрим. В финале обнимались две круглых человечка, украинский и русский. — И вот сейчас, — неожиданно посмотрела Поклонская на портрет Путина, — этот жовто-блакитный пузырь лопнет.

В приемной повисла тишина.

— Ну пойдемте у меня посидим, пока Наталья Федоровна в Москву звонит.

Краем глаза Красовский увидел, что Собчак схватила из корзинки свой телефон и украдкой сделала пару кадров.

В кабинете гостей ждало все то, что встречает посетителя в любом русском начальственном присутствии: безвкусная, купленная с двойным откатом помпезная мебель, полутьма тяжелых пыльных штор и улыбающийся Путин на полках, уставленных книгами, которые не собирался читать не то что покупатель, но и продавец.

— Вы знаете, — юркнула маленькая Поклонская в огромное кожаное кресло с пуговками, — я на самом деле так рада, что могу с вами познакомиться, Ксения. И так жалко, что вы вот свой визит не согласовали. Надо было просто прийти, вот завтра будет официальный прием, а там ко мне подойти. И все было бы по протоколу. А так...

В кабинет тихо вошла надзирательница, ставшая к пенсии пресс-секретарем, и молча отрицательно покачала головой. Поклонская испуганно поглядела на нее, потом на Собчак и тихо сказала:

— Ну без диктофона-то можно поговорить, Наталья Федоровна? Пожалуйста.

Злобно зыркнув на Собчак, женщина вышла за дверь. По выправке было видно, что званием Наталья Федоровна никак не меньше комиссара госбезопасности.

Поклонская продолжала восхищенно рассматривать Ксению Анатольевну. Еще вчера главная знаменитость, встречавшаяся на ее пути, был Николай Гнатюк на концерте в честь Дня милиции, и вот Собчак у нее в кабинете умоляет об интервью. Еще чуть-чуть — и она станет плакать, как и все крымчанки, умоляя об этом. Поклонская не верила, что она не во сне.

— А правда, что про вас говорят, — встрял во встречу звезды и поклонницы Красовский, — будто на вас как-то жестоко напали, потому что вы поддерживали какое-то обвинение.

— Ну не совсем все было так. Я действительно обвиняла преступников из группы «Башмаки».

— Это какие-то жуткие бандиты ваши, — оживился Красовский.

— Ну это очень серьезные люди, — задумчиво ответила Поклонская.

— И не боялись? Такая хрупкая девушка, — начала по традиции располагать к себе Собчак.

— Боялась только за ребенка. И тогда дочь ходила с охраной, и сейчас. Привыкла уже.

— А как вы вообще стали прокурором Крыма? Как так случилось? — Красовский покачнулся на кожаном дорогущем кресле.

— Я работала в Киеве в генпрокуратуре. Но сама отсюда. И вот когда начались все эти события на Майдане, когда в Киеве начали на каждом углу кричать эти бандеровские лозунги, мы сидели в соседнем здании с «Беркутом». И я видела, как их кидают на вооруженную толпу фашистов безо всякого оружия. Они говорили: ну дайте нам автоматы, дайте. А им не дали. И бросили просто как пушечное мясо.

Вот так я и решила вернуться. А потом я сидела на большом совещании в Генпрокуратуре, и выступал такой Мазур, я, знаете... На этих словах дверь в кабинет распахнулась и на пороге нарисовался серьезный, строгий человек в дорогих очках и сером костюме. За его спиной подпрыгивала повышенная до пресс-секретаря замначальника колонии.

— Наталья Владимировна, на два слова, — тоном, не предполагающим возражений, сказал мужчина. По всему было видно, что в этом здании главный человек — он, а совсем не она.

«Ну все, сейчас обвинят в госизмене и грохнут под Джанкоем», — подумал Красовский, вжавшись в катающееся откатное кресло.

— А в чем, собственно, дело? — заверещала Собчак. — Мы просто сидим, разговариваем. Без диктофона. Никакого интервью.

— Значит проверить, чтоб не было никаких файлов, почистить все носители, все телефоны и проводить до периметра, — невежливо распорядился мужчина в сером костюме. Вежливые качки в приемной виновато выстроились вдоль стен.

Так — вместе с невежливым мужчиной в сером — Россия ворвалась в крымские каникулы наших друзей. Вместо улыбок, извинений, девичьего интереса на пороге стояло что-то холодное, невежливое, безответное, сулившее лишь страх и безнадежность.

— Понимаете, — завел потом за угол Собчак с Красовским качок-провожатый, — просто за Натальей Владимировной охотятся, поэтому такая строгость. Вы уж нас извините.

— Проводите за ворота, — обратился он к какому-то человеку в камуфляже.

— Ой, Ксенечка, а можно с вами сфоткаться? — обрадовался мужчина.

— Какой сфоткаться?! — заорал на него качок. — Вывести немедленно.

— Да подожди ты, — отмахнулся камуфлированный. Я без фотки ее не отпущу. Сделав пару селфи, человек вывел шпионов за оцепленный периметр и только там уже вздохнул: «Ох, из-за вас уже заставили всех 50 раз отжаться. Ну хоть фотку сделал».

Он развернулся и размеренной походкой старого отставника вернулся в этот дом, где в дубовом кабинете осталась сидеть грустная девушка небесной красоты. Которую, как и весь этот поднебесный мир, ждало такое земное и такое неведомое будущее.

Часть четвертая

ПРОРОКИ
В ОТЕЧЕСТВЕ

Между прочим, вопрос «Что делать?» первыми стали задавать себе совсем не в России. Его ставили и библейские пророки, и Сократ, и римские ораторы. Время от времени кому-то казалось, что ответ совершенно очевиден: причина всего зла в мире — человеческое невежество, и если вы хотите, чтобы мир стал лучше и справедливее, надо просто просвещать людей. Лучше всех эту мысль сформулировали французские просветители XVIII века — непосредственно перед началом одной из самых страшных кровавых бань в человеческой истории. Русские народники, отправившиеся в конце XIX века в сельские школы учить детишек грамоте, и представить себе не могли, что их стране суждено повторить и многократно превзойти тот кошмарный урок.

Я бы и рада учиться на исторических примерах, но не всегда могу совладать с эмоциями. Когда собеседник смотрит на меня водянистыми глазами, несет запредельную чушь и ни слова не понимает из того, что я пытаюсь ему втолковать — и правда ведь кажется, что «дремучесть» — второе имя всего зла во Вселенной. И что очень глупо и самонадеянно рассуждать о публичной политике и о реформах в стране, которая почти поголовно верит в гороскопы, экстрасенсов и гадание на картах таро.

В этом репортаже мы рассказываем о том, в какие сорта околесицы предлагается сегодня верить самым доверчивым из россиян. Шаман и астролог, чудо-целительница и инженер по космическим энергиям раскрыли перед нами секреты своего ремесла. Разговаривать с ними было весело и чуть-чуть неловко. Зато, я очень надеюсь, кому-то из читателей наш репортаж поможет разуверится в чепухе, а это дорогого стоит в рассуждении будущего прогресса.

С тех времен в эзотерическом ландшафте страны кое-что изменилось. Отошла в лучший мир почтенная целительница Джуна — из всех героев этого рассказа она, кажется, честнее всех верила в то, чему учила своих адептов. А вскоре летний ураган разрушил пирамиду Голода на Новорижском шоссе, и космические энергии стали обходить нашу отчизну стороной.

Что ж, теперь все зависит только от нас.

(Ноябрь 2014)

Пророки в отечестве

Решив основать новый культ, Собчак и Красовский посетили мастер-классы у главных духовных наставников России XXI века

— Что ему нужно в три часа ночи? — Собчак судорожно стучала ногтем по экрану айфона. — Господи, Красовский, ну что тебе?

— Хватит спать! Ты видела, что Марго Симоньян уходит с Russia Today и становится провидицей?

— Чтооооо? — Собчак поперхнулась зевотой.

Маргарита Симоньян @M_Simonyan

Через год никто не будет вспоминать об эболе, как сейчас никто не вспоминает о свином/птичьем гриппе и атипичной пневмонии. Так вижу.

22:29 — 17 октября 2014 года

— Тоооооо! Ты ее твиттер читаешь? Уже даже Марго поняла, что нужно делать собственный культ, чтоб через пятьдесят лет к твоей могиле съезжались со всей страны, как к Славику Чебаркульскому. Давай срочно создадим церковь Собчак! Это ж какие тыщи можно поднять! Главное только — с попами из РПЦ делиться, чтоб они СК не натравили.

— Лошадиный культ, — осторожно предложила Собчак. — Хотя эту тему уже вроде бы Невзоров под себя подмял...

— Ну, кстати, — не растерялся ушлый Красовский. — Можно вообще все замутить на лошадиных силах и бабло на запуск взять у твоего любимого Audi.

— Ой, ну не знаю.

— А тебе и не надо сейчас ничего знать. Я уже заказал несколько мастер-классов по организации бизнеса. Завтра в двенадцать встречаемся у пирамиды Голода на Новой Риге. И оденься по-человечески. Торжественно, мистически, шикарно. Как Мария Дэви Христос.

— А ты-то, малахольный, что будешь в моей церкви делать? — окончательно проснулась Собчак.

— А я, моя священная лошадка, буду твоим маленьким мулом. Апостолом и камнем. Буду от твоего имени писать. Первое послание урюпинцам, второе — орехово-зуевцам. Давай, ищи благолепные шмотки.

* * *

Наутро Посланница и Апостол встретились в поле. Жалящая подмосковная пыль забивалась в складки тоги, под корону, в черную посланную небесами бороду. Солнце освещало пирамиду, куда вереницей тянулись граждане, движимые русской безнадегой, которая тут отчего-то называется надеждой.

— Что мы там делать-то будем? — прошептала Собчак.

— Как что? — удивился Красовский. — Учиться! Шизофрения по нынешним временам — это не болезнь. Это наука. Надо знать, что говорить, откуда исходят энергии, ретроградный ли Меркурий. Но главное, уверенно отвечать на вопросы, что будет с родиной и с нами.

— Ой, у меня есть такой чувак. Павсикакий. Он нам с Максом предсказывал развод. К нему надо тоже пойти.

За этой оживленной беседой основателей церкви застал невысокий мужчина со сломанной ногой. Мужчина был похож на инженера-теплотехника, постоянно сотрудничающего с редакцией «Науки и жизни». На голове его надежно, как все заимствованное, обосновалась бейсболка, на носу торчали очки.

Инженер

— Александр Ефимович Голод, — представился мужчина. — Пойдемте сядем.

В углу стояли три обшарпанных кресла, на расстоянии прыжка от которых настороженно маячил охранник.

Красовский: Расскажите нам, что это за ерунда такая?

Голод: Я занимаюсь этой ерундой двадцать пять лет. Изучаю ее. В 1989 году я организовал один из первых в Днепропетровске кооперативов. В Советском Союзе был большой дефицит нейлоновых струн, а я в первый год выпустил миллион комплектов этих струн. И меня в том же Запорожье познакомили с ребятами, которые строили пирамиды, я им дал деньги, и они сделали в Запорожье первую пирамиду. Потом пятую, десятую. Штук двадцать построили пирамид, благо возможности были. Оказалось, что пирамида — интересное сооружение. Я засеял в Днепропетровске двадцать тысяч гектаров. Получилось, что урожай повышается от тридцати до семидесяти процентов от пирамиды.

Собчак: Лучше все растет? Больше энергии?

Красовский: Вот, молодец. Правильные слова начала использовать. Энергия!

Голод: А вот теперь насчет энергии: примерно в то же время, в конце девяностых годов, ребята из Академии химзащиты начали просматривать пирамиду с военных аэродромов, и оказалось, что над пирамидой локатор видит ионный столб высотой несколько километров.

Собчак: Над этой пирамидой тоже?

Голод: Да, у меня есть фотография пирамиды с локатора из Кубинки, там, где «Витязи» всякие летают. Смотрите: вот это экран радара, вот это пирамида, вот это отметка четыре километра. И локатор видит такой столбик. Высота зависит от размера пирамиды: скажем, пирамида на Селигере дает столбик высотой тысяча семьсот метров, а здесь — четыре тысячи двести.

Красовский: И?..

Голод: Исследователи из медицинских учреждений обратили внимание на то, что выживаемость всего живого, клеточной ткани, людей или животных, увеличивается, просто вот так выплескивается, особенно в тяжелых ситуациях.

Собчак: То есть если жить в пирамиде, то это гарантия вечной жизни?

Голод: Нет, жить в пирамиде не надо. У пирамиды большая зона действия, для такой пирамиды — порядка тысячи километров, покрывает всю территорию Москвы, например.

Собчак: Покрывает чем?

Красовский: Добром. Вот ты злом все покрываешь, а пирамида — добром.

Голод: Да, можно говорить на языке добра и зла, а вообще пирамида — это инструмент, то есть злой человек вполне может работать с этим инструментом, если заточит его под себя. Пирамида меняет структуру пространства. Ксения, вы кто по образованию?

Собчак: Я политолог, специалист по международным отношениям.

Голод: Но не технарь? Если говорить о структуре пространства: представляете, вы заходите в комнату смеха, кривые зеркала, зашли — и все искажено. А теперь берем вот это искаженное пространство, ставим его под эту пирамиду, и оно потихонечку начинает выправляться. А в зависимости от того, как пространство структурировано, все события в нем начинают происходить либо в сторону зла, либо в сторону добра. Вы же были на майдане в Киеве. Помните там пирамиду?

Красовский: Елку что ли?

Голод: Вот вы даже не помните. А там же была желтая пирамида, заряженная, как вы говорите, на зло.

Красовский: Да ладно, сейчас посмотрю. (*Роется в айфоне*). Ой, Собчак и точно. Гляди.

Собчак: Ничего себе.

Красовский: Ну а у нас-то что? У нас же тоже...

Красовский: Мы видим, что с тех пор, как вы построили пирамиду, зла становится все больше и больше.

Голод: С моей точки зрения, не построили бы пирамиду, зла было бы еще больше. Мы видим, что происходит на Украине, в моем родном краю, для меня это вообще непонятная вещь.

Красовский: Ну, разные люди по-разному думают. Одни считают, что там русские войска воюют, другие наоборот...

Голод: Вы знаете, если мы будем говорить о войсках, то это вообще пустой разговор.

Собчак: Происходит война, это всегда зло. Вот интересно, если сейчас построить большую пирамиду, например, в районе Луганска и Донецка, это могло бы как-то изменить ситуацию?

Голод: Вот пример. В 1998 году я побывал у Куликова, который тогда был министром обороны, и он сразу переадресовал меня к главному тюремщику России. И я провел исследование. Мне дали Тверское УИН, шесть тысяч контингента. Тогда у меня была маленькая пирамида в Раменском. Эксперимент заключался вот в чем: поставили пять тонн соли, она постояла неделю в пирамиде, и ее отвезли в пищеблоки нескольких зон. В течение одиннадцати месяцев наблюдали, что будет происходить. Происходило буквально следующее: в четыре раза уменьшилось число нарушений режима, в три с половиной раза упала смертность, на ноль вышли тяжкие преступления.

Собчак: Давайте сейчас к конкретике перейдем: каким образом влияет эта пирамида на улучшение ситуации с добром в Москве?

Голод: О, какая вы хорошая! Вам это правда интересно?

Красовский: Я тоже ей не верю никогда.

Голод: Если задавать такой вопрос, надо понимать прежде всего следующее: как вообще устроен мир вокруг нас, что представляет собой каждый из нас как человек.

Собчак: Вы можете сказать, как, на ваш взгляд, устроена вселенная? Можете объяснить в течение пяти минут?

Голод: Давайте я начну объяснять, а вы засекайте время. Есть пространство вокруг, какой-то физический вакуум, как говорят физики. Это тот же воздух, только более тонкий. Эзотерики могут называть его «астральный план». Возьмем точку сингулярности — назовем ее «замыслом Всевышнего», — из нее можно создать тороидальный вихрь...

Солнце грязными желтыми пятнами, похожими на листву, втоптанную в московский асфальт, пробивалось сквозь шиферные стены пирамиды. У прилавков с заряженной водой толпились страждущие. Основатели церкви погрузились в медитативный сон. Через полчаса они одновременно очнулись. Но оказалось, что можно было бы и поспать. Потому что Голод только входил в раж:

— Давайте с этой точки зрения взглянем на то, что волнует всех нас более всего сегодня, — это проблема с той же моей родной Украиной. Можно кивать на то, что американцы просто хотят уничтожить Россию, но при этом не много ли мы вешаем на них? Кто они такие, чтобы им чего-то хотеть? Исходя из того, что я рассказал, нет этого, нет мирового правительства, нет экстрасенсов, нет ясновидящих.

Собчак: А что есть?

Голод: А есть то, что поскольку каждый из нас имеет бесконечное множество структур, то чем ближе структура к этой точке сингулярности, тем более она влияет на то, что ниже нее. Ребята из тех тонких миров — это не какие-то инопланетяне. Вот умирает человек нехороший, который всю жизнь творил зло, у него очень много недоделанного в этом мире осталось: бабки все не заработал, недвижимость всю не скупил, людей всех не поработил. Он не хочет уходить, хочет доделать. И он уже из соседнего, более тонкого мира спокойно может влиять. Он может набирать здесь команду.

Красовский: И вот он набрал команду. Кто это: Обама, Порошенко, Путин?

Голод: Я отнюдь не принадлежу, мягко говоря, к сторонникам власти, любой власти, в частности

Путина. Но вот благодаря тому, что делается с февраля этого года, он явно вырос в моих глазах, и очень многое можно за это простить. Я понимаю, что он борется не за Украину и не за Россию, а как минимум за всю Европу, а точнее, за все человечество.

Красовский: То есть он на стороне добра борется? А Обама на стороне зла?

Голод: Он рассыпался, все его вихри. Но ребята, которые там все организовывают, — им вообще это по барабану, они следующего сделают на месте Обамы.

Собчак: Как противостоять злу? Я вот вижу, например, самый простой способ: зачем здесь строить пирамиды, если можно в Вашингтоне построить?

Красовский: Вот что бы я на месте ГРУ сделал: я бы по всему миру вместо атомных подводных лодок строил бы нормальные пирамиды стометровые, позитивные.

Голод: О! Один вопрос: как вы думаете, тем ребятам надо, чтобы придурок в нашем мире догадался, как все устроено, и чтобы весь мир начал двигаться в том направлении, чтобы разбомбить все их связи?

Собчак: Не надо.

Голод: Есть у них возможность сделать так, чтобы это было невозможно?

Красовский: Конечно.

Голод: Тогда расскажу вам еще одну вещь. После эксперимента с тюрьмами я познакомился с Пал Палычем Бородиным. Благодаря ему у меня здесь пять гектаров, я без проблем поставил эту пирамиду. Генеральный директор «Астрахань Газпрома» увидел пирамиду и приглашает меня к себе. Он строит у себя большую пирамиду сразу между трубами газоконденсатного завода и городом. За первый год в три с лишним раза уменьшилось количество отравлений. Мне звонит помощник Рема Ивановича Вяхирева и говорит: «Ровно через неделю мы с Ремом Ивановичем у тебя». Ну а дальше понятно: через неделю Рем еще куда-то улетел, а через два месяца он перестал быть председателем правления «Газпрома».

Собчак: Силы включились.

Красовский: То есть найдет темная сторона силы способы, чтобы много пирамид не появилось.

Голод: Теперь концовочка. Вот у меня соседи, бывший замглавы администрации, не помню, то ли Путина, то ли не Путина. Вот я ему рассказываю. «Да, Саш, подожди, за три дня я тебе столько встреч организую». Полтора года прошло — ноль.

Становилось душно. В глазах основателей церкви помутнело, пыль с поля капризным вихрем залетела внутрь пирамиды и уверенно направилась в сторону кресел.

Собчак: А вы уверены вообще, что ваша пирамида добро излучает? Я реально себя фигово чувствую. У меня болит горло.

Красовский: Потому что мы зло. У меня та же самая история, у меня начинает болеть голова и болит горло. Может быть, вы посланник зла?

Голод: Активная замена энергий, когда распадаются одни, а формируются другие, вот тогда першит в горле.

Собчак: А почему вы уверены, что это добрая энергия?

Голод: Вот мы с вами контактируем, и идет подключение, вот более грубые наши структуры…

Красовский: Я, кстати, уже чувствую подключение.

Собчак: Мне реально фигово. Предлагаю выйти отсюда.

Красовский: Ладно, поехали к шаману. С научным подходом к проблеме ты познакомилась, про тороидальные вихри и Пал Палыча Бородина все усвоила, теперь узнаем, что нас всех ждет в будущем, по мнению древних богов.

Шаман

В грязной подворотне в районе Китай-города курили дворники.

— О, Собчак, — сказал один дворник другому, глядя на Мать Церкви в парадном облачении.

— Ты понимаешь, Красовский, им вообще насрать, что я одета как дура. Их это вообще не удивляет!

— А это потому, что весь мир сошел с ума и явное сумасшествие больше не вызывает никакого недоумения. Вот если б ты сейчас пришла в строгом костюме, все б сказали: чо, эта идиотка в Думу, что ли, собралась?

— Это, конечно, мир хипстеров, — вздохнула Собчак, — поэтому тут Путин будет всегда, что любая шизофрения принимается за норму.

В приемной шамана Андрея сидела женщина, похожая на замдиректора районной библиотеки.

— Ой, это вы, — женщина посмотрела на Собчак. — Прям вот вы?

— Ну прям вот я, — подтвердила Мать Церкви.

— Ой, даже не знаю, мы ведь простых посетителей ждали. Ну пойдемте спросим у Андрея.

В крошечной комнате, служившей когда-то дворницкой, в стуле застрял мужик с видом провинциального жиголо. Застрял он в позе лотоса, сложив на коленях руки. И если бы мужик не приехал из тех краев, где люди на корточках умудряются часами сидеть на пнях, можно было бы подумать, что ему очень некомфортно и сидит он так, только чтобы произвести впечатление.

Собчак: Давайте сразу к делу. Сейчас времена в России сложные — что делать с деньгами? Во что вкладывать? Что будет с курсом рубля, доллара?

Андрей: Вы мне общие вопросы задаете, а я не теоретик. Мне конкретный человек конкретные вопросы задает.

Красовский: У Ксении Анатольевны есть конкретный вопрос. Я клянусь, она всем его задает: она накопила денег за свою неправедную жизнь, однажды у нее их отобрали, потом вернули. Теперь надо их куда-то деть, потому что в России сложная экономическая ситуация.

Андрей: Не надо делать из этого шоу, у меня не авторская программа. Я совершаю культовые обряды, которые помогают людям настроиться на естественный природный ритм, чтобы у них все было хорошо, удачно. В данное время к общим предсказаниям я отношусь скептически. Ко мне люди обращаются с серьезными вопросами, чтобы улучшить свою жизнь. Мы составляем конкретный гороскоп.

Собчак: А мне составляли, я знаю.

Андрей: Не-не-не, вы не ходили к гуру, вы ходили к астрологам, это абсолютно разные вещи.

Красовский: А вы, простите, гуру? У меня вот есть один знакомый гуру — журналист Кашин.

Андрей: Кашина не знаю, а вы, возможно, впервые с шаманом соприкоснулись. Я вам объясню. Я представитель верховного шамана Тувы и имею практическую связь с гималайскими шаманами. У меня документы есть (мужчина показал на стену, увешанную дипломами). Смотрите, существуют три мира: верхний мир, средний мир и нижний мир. Сфера верхнего мира — это духовный мир, мир чистого света, мир идей, если говорить платоновским языком. Брахма, Вишну, Шива, Ом. Аспект разрушения — это богиня Кали. Средний мир — это мир людей, грубый, материальный.

То, что нам дано в рецепторах, — это ложная реальность, потому что это самый иллюзорный мир. И тонкий мир — нижний. Это то, что мы воспринимаем в сновидениях, тонкий материальный план.

Собчак: Люди типа вас как раз имеют более тесную связь с тонким миром?

Андрей: У шамана врожденная способность к коммуникации как с духовным миром, так и с тонким миром. Но прежде всего шаман взаимодействует с духовным миром, потому что шаман является духовным лицом.

Собчак: Можете ли вы, обладая этой связью, ответить на наши вопросы? Мы-то ею не обладаем.

Андрей: Ну, вы общие вопросы задаете. Я вам говорю: средний мир — иллюзорный.

Собчак: Вы можете что-то предсказать про страну?

Андрей: Нет-нет, страна для меня не существует. Это абстрактное понятие, относящееся к среднему миру, абсолютно профанное, иллюзорное.

Красовский: Хорошо. А вы можете в целом поговорить про будущее мира, например? Про Землю.

Собчак: Многие говорят, что будет третья мировая война.

Андрей: Сейчас с 1997-го по 2012-й произошел астрологический переход. Отсюда весь этот ажиотаж — нет дыма без огня. Я сам в круглых столах участвовал и говорил, что не конец света происходит, а конец цикла. То, что длилось больше двух тысяч лет, уже неактуально.

Красовский: А что будет актуально в следующей эпохе?

Андрей: Тот, кто живет настоящим, будет успешен, кто западает на прошлое — тот уйдет в нижний мир, он потеряет.

Красовский: Что такое «прошлое»? Как его отличить?

Андрей: Культы, связанные с эпохой Рыб.

Красовский: То есть христианство в прошлом?

Андрей: Я очень много изучал религии, у меня самого позади три года служения в православной церкви. Православие опирается на два столпа. Второй столп — мы это знаем — патриарх. Но отсчет идет от первого. Кто первый? Царь. А царя нету. Мы видим, что это уже имитация, исчерпание эпохи произошло.

Собчак: У нас есть царь, какая разница, как он называется.

Андрей: Не надо князя и царя путать, это совершенно разные вещи. Царь обладает духовной и мирской властью, князь обладает только мирской. Путин — князь конкретный, но не царь. Поэтому говорить ни о каком православии сейчас вообще нельзя.

Собчак: Есть у него способ стать царем, например?

Андрей: Нет.

Красовский: Значит, Путин человек прошлой эпохи?

Андрей: Путин живой. Нормальный адекватный князь. Я не вижу, что Путин — человек прошлой эпохи. У него все в порядке.

Красовский: А нужен России в новой эпохе царь? Или достаточно князя?

Андрей: Царь всегда есть.

Собчак: А кто сейчас царь?

Андрей: А зачем ему являть себя, если его народ не принимает? Не народ выбирает царя — царь выходит и между князьями выбирает срединную позицию. Вот таким был Рама в Индии. И он очень жестко наказывал и князей, и простолюдинов. Все думают, что Веды — это цветочки-лепесточки, а вот однажды шел Рама и увидел, как шудра, человек низшей касты, занимается йогой. Подошел господь Рама и отрубил ему голову, чтобы шудра не профанировал йогу. С профанаторами йоги я встречаюсь, а потом в скором времени они развоплощаются.

Собчак: Серьезно?!

Андрей: Ну что я вам, шутки шучу? Это не шоу!

Собчак: Я тогда прощаюсь, я тогда вас подожду на улице.

Андрей: Надо же вас ужаснуть. Ужас вам на пользу.

Красовский: Ксения Анатольевна, сядьте, я вас спасу если что. Андрей, сейчас началась эпоха Водолея, я правильно понимаю?

Андрей: Надо рассматривать четыре созвездия, потому что крест. Была эпоха Рыб, Девы, Стрельца, Близнецов — это эпохальный крест, который свою концептуальность вообще утратил.

Собчак: А сейчас какой крест?

Андрей: Водолей, Лев, Телец и Скорпион — вот ключевые созвездия.

Красовский: И что нас ждет?

Андрей: Никто не знает, он только сейчас проявляется. В прошлую эпоху Рыб у человека был крен в сторону потустороннего мира, как душу спасти после смерти, очиститься. Сейчас людей больше интересует интеллектуальное. Эпоха Водолея связана прежде всего с сервисом, людям хочется почтения к себе, и мы это видим. Заходите в кафе, в ресторан — уровень сервиса растет эпохально. Далее, эпоха Девы заканчивается — это порабощение женщины. Переключение из Девы во Льва — это сила, экспансия, самость, вот Ксения знает. Если в эпоху Близнецов была очень важна интеллектуальная борьба, то сейчас идеология никого не интересует, сейчас рынок важен. Войны будут только локальные. Стрелец — навязывание своей религии, колонизация — это все тоже неактуально.

Собчак: То есть мировой войны не будет?

Андрей: Нет, сейчас людей интересует успех в деньгах. Телец — это сытая жизнь, материализм. Вот сейчас я провел в Уфе семинар, на обряд богатства люди собираются, хотят знать сакральные законы.

Собчак: А можно сейчас обряд богатства сделать?

Андрей: Нет. Сейчас двадцать восьмой лунный день. Время Шивы и Кали, день разрушения, последний тонкий серп. Сейчас не созидание, а изгнание негатива. Поэтому я из вас изгоню всех чертей.

Собчак: Страшно.

Красовский: Не ссыте, Ксения Анатольевна. Вы же тоже богиня. Андрей, каким вам видится развитие России в течение ближайших ста лет?

Андрей: Я вижу, что Россия будет возрождаться духовно.

Собчак: А ядерной войны не будет?

Андрей: Все возможно. Божества решают в любой момент. Как Будда говорит, наша жизнь похожа на мыльные пузыри: сегодня есть, завтра нет. А мы о судьбах мира рассуждаем, мы о своей жизни бы задумались.

Красовский: Я вот смотрю, вы все время нервничаете.

Андрей: В новолуние бы пришли, все было бы совершенно по-другому. Но, значит, вовремя пришли, и я хочу сейчас изгнать из вас черную энергию, чтобы все ваши враги умерли. Я черный шаман. Как говорится, беру самый негатив.

Красовский и Собчак: Не надо!

Собчак: Спасибо вам большое. Было очень интересно познакомиться!

Андрей: Обряд-то будем делать? Ничего страшного нет, изгоним все негативное.

Красовский: Ты боишься?

Собчак: Я не то чтобы боюсь, но это правда не шутки.

Андрей: Тогда обряда не будет. Это не шоу. Если не хотите, не надо.

Вырвавшись от шамана, Собчак взбунтовалась.

— Все, хватит. Возишь меня по каким-то опасным лохам. Я тебе говорю, я чувствую, у него прямо опасная энергия.

— Энергия. Обожаю тебя, Собчак, — усмехнулся Красовский. — Ты все-таки будешь настоящей Матерью-проповедницей.

— Иди ты в жопу. Поехали лучше к Джуне.

— Мы же не договаривались, — опешил Красовский.

— Ну мы так поедем, ну что, тебя со мной не пустят? Все, поехали!

Целительница

———————————— – т + ————

Друзья приехали в один из арбатских переулков, огляделись по сторонам и нашли дверь, на которой висело объявление: «После 23 в домофон не звонить!»

— Нам сюда, — уверенно скомандовала Собчак.

Красовский: Неужели ты ее не боишься?

Собчак: А ты почему боишься?

Красовский: Потому что она Джуна. Вот, например, этого клоуна-шамана я не боюсь, а ее боюсь. Она же была главной брежневской целительницей и экстрасенсом. Аферисты так долго не живут в профессии. Нет, она не аферистка. У нее очень серьезные способности. Но что это за способности, я, конечно, не знаю.

Собчак и Красовский зашли в комнату, заполненную людьми. Один молодой человек сидел в шапочке, из которой торчало сто проводков. Проводки присоединялись к какому-то огромному агрегату, похожему на сервер «Яндекса». В кресле сидела женщина, водящая по пузу металлической скалкой, мигающей разноцветными огоньками. У двери мужчина читал газету.

— Мы к Джуне, — гордо сообщила Собчак женщине за столом.

— Пойдемте пока в столовую. Я скажу о вас.

Красовский: А все люди, которые сидят там, — они ждут приема?

Помощница Джуны: Смотрите, тут такая система. Сначала люди на приборах сидят. И потом, если повезет, Джуна полечит.

Красовский: Вот там женщина сидит в шапочке, у нее что?

Помощница Джуны: Я не знаю. Приходят сюда многие. Пришла женщина с четвертой степенью рака — излечилась.

Собчак: Значит, происходят все-таки выздоровления.

Помощница Джуны: Мы сейчас хотим написать Владимиру Владимировичу Путину, потому как до сих пор Джуна платит сумасшедшую аренду. Такой человек, представляете, да? Она чуть-чуть не в настроении сегодня, потому что как бы подустала. Она человек настроения, понимаете.

На кухне появилась женщина в огромных очках.

Собчак: Ой, Джуна, здравствуйте! Ваша помощница сейчас сказала, что у вас с арендой тут какая-то сложность. Я вам могу посодействовать, свести с людьми.

Джуна: Ксения, ужас просто. В прошлом году повысили и сейчас опять будут повышать. Я все удостоверения, документы готовлю, награды свои готовлю — то, что у меня есть. Пусть в безвозмездное уже дадут мне.

Собчак: Вы легендарный человек, это вообще, конечно... Мы просто хотели вам пару вопросов задать по поводу будущего. Сейчас очень многие говорят о том, что третья мировая война будет...

Джуна: Не будет третьей мировой. Все нормально будет. Если только некоторые чиновники не будут относиться халатно к своей работе, все будет нормально. Владимир Владимирович Путин никогда не позволит и не допустит этого. Он не тот человек, понимаете?

Красовский: А какой он человек?

Джуна: Он хороший, он войны не хочет.

Красовский: Долго он будет при власти, как вы думаете?

Джуна: Ну как? Шесть лет он должен.

Красовский: Как шесть лет?!

Джуна: А потом еще шесть лет.

Собчак: Вы можете предвидеть какие-то события в будущем, чувствовать? Как Кашпировский?

Джуна: Я крупный ученый, посмотрите, сколько у меня приборов. Я конструктор-изобретатель по нанотехнологиям. Кашпировский и Алан Чумак для меня — это пешки на шахматной доске, честно говорю. Те люди, которые не имеют медицинского образования, — они не имеют права. Какие они маги? Алан Чумак алкоголик был, я его вылечила за один сеанс. Сказала одно слово! Ну, это смешно даже.

Собчак: А как отличить настоящего целителя от шарлатана?

Джуна: Они должны иметь медицинское образование. Я имею медицинское образование. Пусть не весь институт я окончила, но университет медицинский я окончила, это при железнодорожной больнице.

Собчак: От чего в основном люди у вас лечатся?

Джуна: Рассеянный склероз, Паркинсон, СПИД, заболевание Альцгеймера, склеродермия, когда уже безвыходное положение. Я взяла те заболевания, которые не лечатся. Я беру тех пациентов, у которых последняя стадия. Все.

Собчак: Мне сказали, что от рака вылечиваются люди на определенных стадиях.

Джуна: Онкологическую иглу сделали уже и в Америке, и в Израиле, и Франция, и Англия сделали. Это игла, которую вводят через кожу, она сваривает опухоль, и метастазы рушатся. Я с властями еще в 1980 году это сделала. А у нас нету! У меня нет таких денег. Все, что у меня было, я вложила в здание. Честное слово, Ксения, ты же знаешь.

Собчак: Да, я знаю, вы нам с Сергеем Полонским говорили, помните?

Джуна: Сергей Полонский позавчера мне звонил. «Приезжай, Джуна, на отдых», — говорит. Я говорю: «Сережа, мне некогда сейчас».

Собчак: А вы могли тогда предвидеть всю эту ситуацию с Полонским? Вы знали, что в его судьбе так будет?

Джуна: Я не ясновидящая, не дальновидящая, я никто. Если математическое исчисление какое-то делать — это совсем другое, понимаете? Тогда я сидела бы как царица и каждому говорила бы: ложь, ложь! ...Ну вы поймите правильно. Мембрана клетки у нас излучает только радиоактивное излучение. Структура тяжелой воды — это лимфатическая система. И когда человек умирает, кто знает, что там, за кордоном, понимаете? Вот так можно сказать, потому что атом не погибает. Сегодня-завтра будет истощение вообще во всей Вселенной. Если математическое исчисление делать, то население вообще сойдет на нет. Не будет хватать чистой воды. Откуда будем брать? Из водорода.

Красовский: То есть из воздуха?

Джуна: Да.

Собчак: Вы застали всех руководителей страны, с Брежневым общались. А сейчас вас не привлекают к каким-то прогнозам?

Джуна: Почему меня привлекать должны? За что?

Собчак: Да не за что, а в медицинских целях.

Красовский: Путин вас не звал никогда?

Джуна: А почему вы о Путине говорите?

Красовский: Просто интересно.

Джуна: Вам интересно сделать сенсацию, ребята? Да, мой племянник у Путина работает. Слава Лысаков. Он замначальника «Единой России». Я раньше в политсовете вела науку, здравоохранение, культуру, образование, а медицину вел Федоров. А когда меня перевели в политсовет Федерации, я увидела некоторых людей, которые мне не нравились, и я не пошла.

Собчак: А вы можете прямо по человеку сразу сказать, какая у него энергия и так далее?

Джуна: Зачем мне говорить, какая у нее энергия? Она не нравилась мне, потому что я с ней дралась. Вот и все. Раз она там оказалась, я не пошла. Я знаю только свою работу. Я создаю уникальные приборы. Вот пояса есть — я могу сейчас принести несколько. Даже робота начала делать.

Красовский: Ой, было бы так интересно посмотреть.

Джуна: Да пожалуйста. Пойдемте.

Из кухни Отцы Церкви перешли в ту самую комнату, где сидели люди в электрических шапочках.

Джуна: Это биокорректор — я его делала еще на военном заводе ФАПСИ. Вот эти шапочки для рассеянного склероза. Вот этот робот, но у меня ресурсов не хватает сделать его полностью.

Красовский: А каким образом он работает? То есть технология какая? Чем он лечит?

Джуна: Чем он лечит? Моими излучениями. 7-1, 5-6, 4-9. Ни у кого нет таких параметров.

Собчак: И как вы это излучение передаете сюда?

Красовский: Батарейки или что?

Джуна: Можно я вам скажу? У вас нет тех параметров, которые есть у меня.

Красовский и Собчак: Это мы понимаем.

Джуна: Есть такая технология, которая снимает эти параметры. И только у меня такие параметры. Поэтому везде и всюду воруют. Мои параметры и то воруют.

Собчак: А, то есть это какие-то схемы!

Красовский: «Аааа», — сделала вид Ксения Собчак, что она поняла.

Джуна: Раньше телевизоры были каскадные. А сегодня плазменные. Есть тайна таинства, о которой я говорить не могу.

Молодой человек в электрической шапочке умильно улыбался.

— А вот вы от чего тут лечитесь? — поинтересовался Красовский.

— Я от, от, от з-з-з-заикания, — ответил молодой человек.

— И удачно?

— Очень удачно. Но пока все равно заикаюсь, если не пою.

Собчак: А бывает такое, что вы сами себя как-то можете лечить?

Джуна: Зачем? Я сажусь на прибор, да и все. Если мне плохо, я простудилась или что-то — села на прибор, и все.

Красовский: Ну, я хочу сказать честно. Когда я сюда пришел, у меня болел желудок, сейчас я буквально тридцать секунд полежал с приборчиком, и у меня не болит желудок.

Джуна: Не будет болеть.

Собчак: Мы ходили к одному человеку, колдуну. На меня он страшное произвел впечатление. Здесь я как-то чувствую позитивную энергию.

Джуна: Иначе, Ксения, Сережа Полонский не хотел бы учиться у меня.

Собчак: А вы научили его?

Джуна: Нет, я открыла ему руки, и все. Дала почувствовать эти сигналы, и все.

Собчак: Что это значит — «открыть руки»?

Джуна: Ну, что ж ты, Ксения, я считала тебя самой великой умной девочкой.

Красовский: А ты оказалась…

Джуна: Замолчи, а то по башке тебе дам.

Собчак: Ну ты понимаешь, что такое «открыть руки»? Я не понимаю. Ну расскажите, правда.

Джуна: Ксения, не делай из себя глупую девочку. Раньше были каскадные телевизоры, понимаешь? А вот потом стали плазменные, завтра-послезавтра просто пуговица будет — и весь мир будем видеть. Ты что, фантастики никогда не читала? Не понимаешь, что когда новые технологии появляются, то об этом пишут в виде фантастики, как про остров триффидов, да? Ксения, потому что я тебя знаю, поэтому разговариваю с тобой. А то бы убежала давно и сказала «до свидания».

Собчак: А почему вот, кстати, вы так замкнуто живете? Мне кажется, что вам Бог дал такой дар, им надо делиться.

Джуна: Ты думаешь, я на улицу выхожу? На пять минут. Только на кладбище еду, и все. У меня много работы своей. Я художник, я люблю писать стихи. У меня стены расходятся, а я уже и в чаще леса, и где хочу, там буду.

Собчак: Мне страшно в чащу леса ходить.

Джуна: Увидеть ромашку, увидеть фиалку, увидеть мак. Я с Кубани, из Армавира, понимаете? Я и в чащу леса бегала, и в посадки бегала, и на кладбищах была. Мак — он есть мак. Фиалка есть фиалка. Но мак бьет в барабан — весь лес слышит. А фиалка играет на флейте. Вот в чем их разница, понимаете? Меня супруг заставил пойти в медицинский, я не пошла бы.

Собчак: У вас глаза, конечно, совершенно фантастические.

Джуна: А супруг мой был начальник секретного отдела у Шеварднадзе. Ему не позволили бы жениться на мне. А когда мой супруг отдал меня в Москву, меня под конвоем привезли. И об этом вам рассказать? А?! Одна уехала с маленьким ребенком. Я бы никогда не рассталась с ним, если бы он ребенка не отдал бы. И, может, мой сын не погиб бы. И все, и для меня вся история. Я свою жизнь положила в науку. Ксения, не обижай меня и это по телевидению не показывай.

Собчак: Я не собираюсь вас обижать. Мы не по телевидению, вы что!

Джуна: Я не люблю телевидение. Глупых много, а если свою жизнь посвятить какому-то делу, отказаться от всей жизни — так такому человеку памятник надо ставить.

Собчак: А почему вас так не ценят, аренду повышают?

Джуна: Кто должен ценить меня? Калашников, когда сделал свой автомат, его оценили? Радио, телевидение первое было у нас. Американцы сейчас его продают русскому Ивану.

Собчак: А вы не думали, может быть, поехать туда, и там бы вас ценили гораздо больше?

Джуна: Можно я тебе скажу? На Цензура они мне нужны! Моя родина здесь. Я ж не проститутка. Я человек науки, поэт, писатель, художник.

Выйдя на улицу, Основатели Церкви грустно посмотрели друг на друга и разошлись в разные стороны.

Тусклые московские фонари тихо покачивались над переулком, ожившийся к осени московский воздух разносил по дворам арбатскую листву, в небе готовился дождь.

— Завтра пойдем к Павсикакию, — крикнула в спину Красовскому Собчак.

— Не будет никакого завтра, — буркнул Красовский.

Астролог

Но завтра было. На резном индийском диване сидел человек кавказской наружности. Во всех его повадках читалась сочинская школа разводок.

Собчак: Давай перейдем сразу к теме. Вы почто мне развод наколдовали?

Павсикакий: Я не наколдовал.

Собчак: Предсказали.

Павсикакий: Ксения Анатольевна, понимаете, вся проблема в том, что вы действительно склонны к переменам в личной жизни. В пределах двух лет действительно у вас появится, скажем так, определенное чувство, которое способно поменять вашу личную жизнь. Вы просто сами это сделаете своими руками.

Красовский: Выйдешь наконец за богатого жирнюлиса.

Собчак: Мне, кстати, многие говорят, что у меня второй брак будет.

Красовский: Давайте все-таки у нас разговор будет не только про Ксению Анатольевну, а вообще про будущее. Про будущее мира, про будущее России. Вообще, предсказывать будущее возможно?

Павсикакий: Предсказывать будущее в целом — да, возможно.

Собчак: Можно сделать прогноз в масштабах страны?

Павсикакий: Есть определенные события, произошедшие на планете Земля в определенные моменты, — войны, перевороты и тому подобное. Так как все вращается, то эти определенные моменты, так называемые аспекты, повторяются. Есть справочники, мы смотрим на эти справочники и говорим, что вот так и так. Есть самый глобальный прогноз, что человечеству в той форме, в какой мы сейчас его с вами воспринимаем, остается максимум сто семьдесят — двести лет. Не будет ни пришествия Господа нашего, ни Будды, никого — человечество само себя уничтожит.

Красовский: То есть будет ядерная война?

Павсикакий: Даже не ядерная. Ядерное вооружение через десять-пятнадцать лет — мы это с вами увидим — будет неактуально. На сегодняшний момент существует такое оружие, что правительство разведет руки и скажет: а мы тут ни при чем.

Красовский: Это что за оружие?

Павсикакий: Понимаете, вот в натальных картах виден, скажем так, некий демон. Именно события, произошедшие в начале XXI века, к XXIII веку оставят на Земле порядка пятидесяти миллионов жителей.

Собчак: Пятьдесят миллионов все-таки сохранятся? А на каких территориях? Это Россия или это Австралия?

Павсикакий: Касаемо Российской Федерации, наша среднерусская равнина оставит порядка миллиона жителей. Америка — может быть, миллиона два-три, остальное — выживет материк, которого сейчас нету на карте. Он поднимется.

Красовский: Цензура?!

Павсикакий: Ввиду процессов, которые произойдут. Я ж тебе говорю, понимаешь, демон, демон.

Красовский: Хорошо, давай так. Ближайшее будущее России?

Павсикакий: Те кровавые перевороты, которые прогнозирует мой учитель и коллега Глоба, что Путин уйдет с кровью — вернее, с собственной кровью, — это полная чушь и ахинея. Пал Палыча я очень уважаю, но он немножечко поджигает к себе интерес.

Собчак: А как уйдет Путин?

Павсикакий: Понятно, что он уйдет. Действительно, возможно покушение, о котором мы с вами не узнаем. Он выживет. И в ближайшие десять лет будет заворачивать гайки.

Собчак: Правильно ли я понимаю, что еще десять лет он будет точно?

Павсикакий: Еще десять лет он останется у руля, но с 2017 года нам будет продвигаться преемник. Этот человек будет из команды Суркова.

Красовский: Собчак, это ты.

Собчак: Тина Канделаки это, я не человек из команды Суркова.

Красовский: Она не русская. Вот Минаев — да.

Павсикакий: Минаеву спиться суждено.

Собчак: Вы первый человек, который конкретные вещи говорит. А то все: «Приходит ниоткуда, уходит никуда».

Павсикакий: Это херня на постном масле. Я не люблю это.

Ксения Собчак

Красовский: Давайте поговорим о России. Значит, кто-то из команды Суркова?

Павсикакий: Этот человек не военный, но какой-то промежуток времени он будет управляем Путиным. Вернее, той командой. Потому что Путина на самом деле слишком сильно демонизируют. У него добрая нормальная честная карта. Вот настолько та команда, которая собралась, настолько закрутила гайки вокруг него, что становится страшно.

Красовский: То есть Путичка хороший? А все остальные — мрази?

Павсикакий: Людей не бывает хороших. Ксения Анатольевна для кого-то плохая, ты для кого-то вообще, извини меня...

Красовский: Хорошо, ты рассматривал карту, например, Андрея Воробьева, губернатора Московской области?

Павсикакий: Да, я рассматривал. Вы знаете, я скажу: у него карта шикарнейшего лидера, он легко управляем, с ним можно все, но уже в 2015 году кремлевские воротилы от него отвернутся. Потому как в свою команду он начал тянуть тех, которые априори против режима Путина.

Собчак: Хорошо, а карту Навального смотрели?

Красовский: Президентом Леша не будет?

Павсикакий: Нет, Алексей не будет президентом. Вся проблема заключается в том, что он слишком давит лбом вперед. Есть моменты, когда можно отойти и зайти с другой стороны. Но он ломится нагло в дверь.

Собчак: Давайте по натальной карте Путина. Вот интересно, сколько детей у Путина?

Павсикакий: По судьбе суждено иметь четверых живых здравых нормальных детей: две дочки, два сына.

Красовский: Ты знаешь, они уже есть?

Собчак: Я, например, знаю, какие есть…

Павсикакий: Я отвечу так на ваш вопрос: в карте Путина видно четверо детей, причем на 2012–2013 год последний ребенок записан.

Собчак: Что с Украиной будет? Война прекратится?

Павсикакий: Нет. Будут рвать на части. Порошенко будет смещен. Есть вероятность прихода Юлии Тимошенко, как Глоба говорил еще лет семь назад. У нее есть лидерство в карте. Скажем так, она станет матерью, которая объединит прежнюю Украину до границ 2014 года.

Красовский: Надо было тебе не в Марию Дэви Христос рядиться, а косу приклеить. Крым будет украинским?

Собчак: Почему, кстати, никто из астрологов не предсказал заранее, что Крым будет русским?

Павсикакий: Вы знаете, нет, он не будет русским. Осталось Крыму еще семьдесят лет. Он вернется в состав прежней Украины, и от России отколется часть областей.

Собчак: Экономический кризис будет в России?

Павсикакий: Кризис ожидается в 2015-м — начале 2016-го. Банковская система Российской Федерации рухнет, ровно три банка останется. Процентов тридцать населения реально пострадают. Прогноз евро на 2014 год до января — пятьдесят четыре, 2016-й — до шестидесяти рублей.

Собчак: Ладно, а у меня-то что по натальной карте еще, кроме разводов?

Павсикакий: Годы вашей жизни за семьдесят шесть лет, вы по судьбе долгожитель. Касаемо ребенка — вы этим вопросом в ближайшие год-два займетесь. В ближайшие два года вероятность появления дочери есть.

Собчак: Дочери? Не надо мне, я хочу мальчика.

Павсикакий: Мальчик будет года через три-четыре. Дальше скажу: основным домом Ксения Анатольевна Россию считать перестанет года через четыре-пять. У нее будет дом в европейской стране.

Красовский: «Дом-2» будет.

Павсикакий: Нет никакого «Дома-2» — это все сказки про Цензура-лупоглазку. Это из прошлого все.

Красовский: Лупоглазку?! Слушайте, вы скрасили нам сегодняшний день.

Собчак: А второй муж-то у меня будет? Максим хотел Павсикакия пригласить на нашу вторую годовщину, нервничал по этому поводу.

Павсикакий: Вся проблема заключается в том, насколько лично у вас хватит времени на личную жизнь. Потому как сейчас для вас «личная жизнь» очень страшное слово. И если говорить без масок и честно, то вам личная жизнь как собаке пятая нога. Вы испытываете кайф от процессов! От собственной занятости, от того, что жизнь вас держит за глотку и двадцати четырех часов вам не хватает.

Собчак: Даааа… Интерес к жизни, работа…

Павсикакий: И личная жизнь на тот момент — это была пощечина общественности.

Красовский: Ну, это все уже к астрологии не имеет отношения.

Собчак: А вот про знаки. Вот следующий год, мы знаем, будет год…

Красовский: Год Козы, я знаю.

Павсикакий: Огненной Овцы. Этот год очень неплодородный, год пожаров, задымлений, вулканов. И крайне опасный для всех водяных знаков. Он принесет одни беды и неприятности.

Красовский: Значит, каким будет 2015 год для России — засуха, пожары?

Павсикакий: Вы что хотите слышать? Будем ли мы жить беднее?

Красовский: Хочу для народа. Народ хочет правду узнать, что ему делать, куда нести деньги. Не надо ли их за границу куда-то перевозить, если есть у людей возможность?

Павсикакий: Я отвечу так на ваш вопрос: касаемо заграницы — это только начало санкций. В конечном итоге дойдут до того, что семьдесят процентов граждан нашей страны не смогут выезжать дальше Российской Федерации. Это уже начнется в 2015–2016 году.

Красовский: Мы сами себе запретим или нам запретят?

Павсикакий: Не мы сами. Наши отцы скажут.

Красовский: Кто такие отцы?

Павсикакий: Заседают на станции метро «Охотный ряд», через Александровский сад проходишь, и там они сидят.

Красовский: Хорошо. Что еще произойдет в 2015 году?

Павсикакий: Какой-то судебный процесс политический очень серьезный где-то на конец года ожидается. Здоровье президента останется в пределах нормы.

Собчак: Меня еще один человек очень волнует, не знаю, смотрели ли вы его карту — Игорь Иванович Сечин.

Павсикакий: Только энергетику его видел.

Ксения Собчак

Собчак: Вот понимаешь, никто на него натальную карту не делал.

Павсикакий: А давай прямо сейчас составим? Когда же он родился? В какой день и в какой области еще бы и желательно время. Так... 07.09.60, а время за истину двенадцать часов, Ленинград... У него карта вообще хана. Мужик вообще не долгожитель. Он должен был умереть в двадцать девять лет, должен был умереть в пятьдесят четыре года. Но все это минуло. Его бабы раза три уже ворожили, он вороженый. У него личная жизнь там вообще хромает, то вправо, то влево. Причем его не только баба ворожила, его еще и мужик ворожил.

Собчак: Какой мужик? Может, вся эта фигня с законами против геев из-за этого?

Красовский: Из-за Сечина? Нет, не из-за Сечина.

Павсикакий: Прибьют меня с вами... Ребята, ребята, нет. Ворожат людей не только для того, чтобы трахнуть. Ну не обязательно же секс!

Собчак: Мне важно проверить, потому что у меня есть одна гипотеза. Давайте Володина. Вячеслава. Это замглавы администрации президента.

Павсикакий: Огоооо! Большие богатые события в жизни, самая главная проблема — любовь. Человек влюбляться будет три раза. Два из которых уже отлюбил, первая любовь им управляет из его прошлого. Очень крепкий энергет. Карта очень мощная. Руки по локоть у этого человека будут в крови, потому что с вампиризмом что-то связано, что-то кровь видна. Возможно, когда-то в роду даже были вампиры. Годы жизни — девяносто три года. На 2016 год резкие перемены в карьере.

Красовский: Премьером, что ли, сделают наконец?

Павсикакий: Причем он будет жить на три страны. У него будущее его после семидесяти лет не связано с той территорией, где он родился. И этот человек на вожжах водит трех жирных псов. Можно перевести это, сказать по-русски. Он за какими-то тремя богатыми людьми стоит. Один человек от них отколется, и будет очень большой скандал.

Собчак: А можно, извините, по любовной карте понять, он вообще женщин любит? Или…

Красовский: Ну вот опять, ну Собчак!

Павсикакий: Если вы спросите меня, есть ли в его карте отклонения, я сейчас постараюсь мягко ответить на ваш вопрос. Возможно испытание кайфа от лиц того же пола ввиду собственной суперважности. Есть геи прирожденные, а есть те, которые хотят подчеркнуть свою необычность. Потому как человек, когда накушается много черной икры, говорит: принесите мне баклажанной.

Красовский: Давайте мне карту сделаем?

Собчак: А ты время рождения скажи.

Павсикакий: Не надо время никому говорить, это личный код. Нельзя говорить крещеное имя и нельзя говорить время рождения.

Красовский: Это какие-то ваши армянские заморочки.

Павсикакий: Почему армянские? Я абсолютно никакого отношения не имею к Армении. Богданов Виктор Константинович по паспорту. Но уроженец города Грозного.

Красовский: Скажи, пожалуйста, а вот Чечня — твоя родина — останется в составе России?

Павсикакий: Чечня в ближайшие двадцать лет остается неотъемлемой частью Российской Федерации. Потом внутри Чечни будут происходить серьезные перестановки, и Чечня будет пользоваться специальным статусом. Времена поменяются, очень много будет дано свобод. Закон о геях будет отменен, «закон Димы Яковлева» будет отменен, многие санкции будут сняты.

Собчак: Очень хорошие вещи вы говорите!

Павсикакий: Но! Есть одно великое «но». Это все пойдет по пути развала единства территории. Но Крым вернется в ту часть Украины, от которой он откололся.

Собчак: То есть вернется все-таки?

Павсикакий: Украина будет возрождаться с нуля.

Собчак: Слушайте, как круто мы поговорили, да? Лучше, чем со всеми, честное слово.

Павсикакий: Блин, а мне чего, теперь вещи собирать?

Красовский: Ну ты же знаешь свой гороскоп. Можешь даже не собирать. Зачем нам всем ТАМ вещи?

Часть пятая

ВОПЛЬ СОДОМСКИЙ

По числу научных публикаций на душу населения Россия застряла где-то между Турцией и Испанией. В рейтинге средней продолжительности жизни мы стоим настолько далеко от цивилизованных стран, что об этом грустно думать. Треть населения нашей космической державы живет без канализации и справляет нужду в выгребные ямы, увенчанные, по причине холодного климата, дощатыми будками.

Но об этих проблемах беспокоится не слишком-то большая часть населения. По каким-то причинам в списке общественных язв, вызывающих у среднего россиянина самый жгучий интерес, одну из первых строк занимает не наша технологическая отсталость или чудовищно низкое качество жизни, а проблема сексуальной ориентации. В чем состоит сама проблема, мало кто возьмется сформулировать... но вот говорили бы и говорили только об этом.

Повод для этого репортажа давно забыт и канул в пучину истории. Тогда, четыре года назад, почтенный клирик Русской Православной Церкви о. Иоанн Охлобыстин вдруг возьми да и скажи, что геев надо бы жечь в печах. Видимо, любовь к дешевой театральности как-то на время подавила в нем христианскую сдержанность и стыдливость. Это привело... да ни к чему, в сущности, не привело. Были расторгнуты одни контракты и заключены другие. Но для нас с Антоном этот второстепенный скандальчик стал поводом поговорить с некоторыми публичными персонажами о довольно важных вещах. О том, например, как незаметно и ненавязчиво иногда приходит фашизм. О толерантности и ее границах. Одним словом, о всякой всячине, которая, увы, до сих пор не утратила злободневность.

(Февраль 2015)

Содом и Baon

После громкого заявления о печах и сексуальных меньшинствах о. Иоанн Охлобыстин покинул «Евросеть» и направился в сторону BAON. Ксения Собчак и Антон Красовский прошли обратный путь, чтобы разобраться, что же стояло за словами заштатного священника

Это история погони, начавшейся с одной эсэмэски и закончившейся... читатель уж наверняка подумал — арестом, расстрелом, пытками, — но нет. Закончилось все эмэмэской. В сущности, вся современная Россия тоскливо, словно ломтик пошехонского сыра в вологодском чизбургере, затерлась между ничего не означающими словами, безнадежными обещаниями и попытками найти выход, который, как и у этого грустного бутерброда, один.

Впрочем, началось все с эсэмэски.

Красовский — Собчак: «Сейчас хорошо бы Охлобыстина сделать».

Ответ пришел только через неделю: «Не <цензура> особо про Малиса говна. Договорились с ним на вью. Охлобыстина дожимаю».

Для тех, кто живет на облаке, напомним в общих чертах предысторию. 13 декабря в Новосибирске заштатный клирик Русской православной церкви иерей Иоанн Охлобыстин призвал жечь в печах лиц нетрадиционной ориентации (так называемых содомитов). Через несколько дней о. Иоанн лишился работы в компании «Евросеть», возглавляемой Александром Малисом. А в начале января заключил контракт с компанией Baon (возглавляемой Ильей Ярошенко), избравшей его в качестве своего рекламного «лица».

С фигурантами скандальной истории авторы статьи и намеревались побеседовать. Предполагалось, что наши встречи сложатся в своего рода роман-путешествие по России — пусть даже строго в пределах МКАД — наподобие «Мертвых душ», где на горизонте, как путеводная звезда, будет маячить загадочная фигура Ивана Ивановича Охлобыстина во всем ее нелепом величии.

Спустя неделю концессионеры встретились на двенадцатом этаже гостиницы Ritz-Carlton.

Глава первая. Бар отеля Ritz-Carlton, Тверская, 3

— т +

На террасу то и дело прорываются промерзшие туристы в ментовских ушанках с кокардами, чтобы сняться на фоне кремлевских звезд, тонущих, словно в ряженке, в рыжем январском смоге. Красовский сонно ковыряется в роллах, Собчак, допивая чай, теребит свой малахитовый айфон.

— Доброе утро, а с Иван Иванычем можно поговорить? Нет? А когда бы мне перезвонить? Нет? Да?

Вешает трубку.

— Сука. Ну ладно.

Красовский: Понимаешь, — мечтательно вглядывается в окна Сенатского корпуса Кремля, — ведь мое участие во всем этом репортаже не совсем тактично. Я в некотором смысле заинтересованный участник вакханалии, а не журналист.

Собчак: Так именно этим ты привлек мой близорукий взгляд. Я всегда тебе говорила: ты единственный в нашей стране потенциальный Харви Милк.

Красовский: Ну вот я бы предпочел работать журналистом, а не Харви Милком! Мне ведь совершенно неинтересно тут бороться с Иваном Ивановичем. Мне интересно, что с ним, здоров ли? Еще мне интересно, в какой момент Малис принял решение, что все-таки хватит, да. Или это решение вообще принял не он.

Собчак: С Малисом вообще все сложно. Он правоверный еврей и для него гомосексуализм — грех против Бога. Да и с тобой самим-то мне не все ясно. Ты же вроде верующий, православный — как в тебе уживается религиозность и гомосексуальность?

Красовский: Ох, довольно сложно уживается. Мне, конечно, грустно иногда без русской литургии, но я все время напоминаю себе, что Христос по поводу педиков ничего не говорил. Его педики вообще не очень интересовали. Он обращал внимание на врунов, воров, лицемеров. Собственно, на тех, кто сейчас в нашей стране <цензура> гомиков. Ну, то есть я убежден, что не я, а Иван Иваныч скорее бы привлек строгое внимание Христа.

Собчак: А из-за чего, по-твоему, произошла эта история? Это такой пиар странный у Вани или заказуха из админочки?

Красовский: Может, и так. Мы же не понимаем, как там сейчас все происходит. Вся эта фигня про «аморальный интернационал» — это же не Пихоя, не Джахан Поллыева, или кто там речи нынче пишет. Я прямо вижу: сидит в жопу пьяный Максим Леонардович Шевченко в «Чайхоне», например.

Собчак: В «Чайхоне» он не сидит.

Красовский: Я сам с ним несколько раз сидел в этой самой «Чайхоне» в хорошей теплой компании сотрудников АПшки. И эти все терки, они оттуда, из этой «Чайхоны».

Собчак: Почему именно гомосеков решили бить?

Красовский: Потому что гомосеки — как евреи, но евреев сейчас не круто бить. Евреи — это политическая элита: Фридман, Абрамович, Малис опять же. У Малиса всегда найдется тетка — Белла Златкис, вице-президент сберкассы. Так что их бить сейчас нельзя.

Собчак: Странная логика у тебя. Как раз ты сам только что живописал, что если бить евреев, то можно занять все эти места у сберкассы. А ваших-то ради чего бить? Ради айфонов со стразиками?

Красовский: Слава богу, после войны мы живем в таком мире, где, как только начинаешь бить жидов, ты сразу проваливаешься в пропасть. Тебе нет ну совсем никакого места. Потом, Путин уж кто-кто, но точно не антисемит.

Собчак: Но гомофоб?

Красовский: А там все гомофобы. Я тебе честно скажу: я, когда там с ними работал, тоже педиков ненавидел.

Собчак: А сейчас?

Красовский: А сейчас я всех ненавижу.

(У Собчак звонит телефон. Она записывает на салфетке номер с пометкой «Охл. новый».)

Собчак: Это все, конечно, интересно, но нам кровь из носу нужно достать этого попа-поджигателя. Он от всех шифруется уже неделю.

Уже на выходе Собчак цепляется каблуком за какой-то металлический предмет. Это маленький католический крест на платиновой цепочке. Минут через десять находится хозяин креста — молодцеватый мужичок лет сорока с брюнеткой в мини-юбке.

— Храни вас Господь, ребята! Сегодня ж Креще-
ние! Это и мне, и вам знак хороший: добро будет!
Счастье!

Добро и счастье ждали друзей в магазине спор-
тивной одежды Baon.

Глава вторая. Магазин BAON, ТЦ «Европейский», площадь Киевского вокзала, 2

— т +

Путь Baon — это путь всей России. Стопроцентно русская — наша, балашихинская — компания, назвавшаяся непонятным словом. Вещам, на которых есть надписи кириллицей, русский человек не доверяет. При этом сами вещи шьются в Китае, поскольку русский человек в состоянии шить только варежки и милицейские душегрейки. И для полного счастья в самый разгар скандала эта компания нанимает заштатного попа Иоанна Охлобыстина своим лицом и телом, точно зная, что мало им не покажется.

Мила Ермолаева, директор компании Baon по маркетингу, поссорилась из-за этого решения со всеми своими друзьями, стала на неделю самым ненавидимым персонажем гомоэротического сегмента «Фейсбука», но не сдалась. За что воевала Мила Ермолаева, она так и не смогла ответить. Тут все так: сперва кто-то придумывает дурацкую идею (ну, скажем, закон о запрете гей-пропаганды), потом все понимают, что это форменный идио-

Ксения Собчак

тизм, а потом все дружно начинают за этот идио-
тизм биться до последней капли крови. Отменить
решение, признать свою ошибку в России не в состоянии никто.

Возможно, они и правы. Если тут начать призна-
вать ошибки, то, не приведи Господь, само существование этой огромной таежной слабозаселен-
ной страны станет ошибкой номер один.

Единственное, что в России по-настоящему ищут,
но никогда не могут найти, — это смысл. Все
в этой огромной стране отыщется — и нефть,
и газ, и духовные скрепы, — однако зачем все это
здесь вдруг оказалось, почему ничего толкового
эти находки русскому народу не принесли — вот
она, загадка.

Впрочем, по лицам посетителей ТЦ «Европейский»
было видно, что все их загадки раскрыты, не хватает только вот того розового кошелечка.

На третьем этаже, в магазине марки Baon, так лю-
безно предоставившей экономическое убежище
Ивану Охлобыстину, ждал стилист Макс Гор. Это
единственный гей, удостоившийся комплимента отца Иоанна: «Макс Гор (к сожалению) действительно лучший стилист из всех представленных на нашем рынке. Уймитесь, дураки, Гор — единственное,
чем вы можете гордиться. Хотя, в идеале, его бы

тоже хорошо на необитаемый остров отправить. Или вылечить как-то, в принудительном порядке».

Невысокий качок с сумочкой Louis Vuitton, спрятавшийся среди прилавков с пестрым ширпотребом, Гор опасливо смотрел по сторонам. Концессионеры напали на него с ходу.

Красовский: (вместо «здрасте») Ну и что тебе говорят? Что пидорас продал интересы пидорасов? Ты знал, что он хочет тебя сжечь?

Гор: Мне просто позвонила Мила Ермолаева, директор по маркетингу, и сказала: «У нас новое лицо бренда, мы хотим, чтобы ты его снимал».

Собчак: Но когда он сказал про печи, тебе же, наверное, уже передали?

Гор: Ну, уже после съемки с Иваном...

Собчак: Не ври!

Гор: Я не вникаю, я не живу жизнью Ивана!

Красовский: Подожди, ты реально не знал об этом?

Гор: Я не знал. Я работал со своей коллекцией, я вообще дома сижу сутками, вдохновляюсь.

Красовский: Жопокрут.

Собчак: Жопокрут реально. Так знал или не знал?

Гор: Я не вникал в ситуацию. Мало ли кто что говорит, в этой стране каждый день кто-то что-то говорит.

Красовский: А после того как на тебя все набросились, начали говорить, что Гор предатель, сволочь, что из-за таких нас и вешают, — ты пошел бы стилизовать Охлобыстина?

Гор: Смотря кто бы меня пригласил.

Собчак: То есть если бы твоя подруга Мила позвала, ты бы пошел?

Гор: Да.

Собчак: Ты понимаешь, что это человек, который хочет уничтожить таких, как ты?

Гор: Да, понимаю.

Красовский: Повезло тебе, Максим, что ты гей в России. В Америке тебя бы за такую позицию сожгли сами пидоры. Взяли бы Охлобыстина на улице, мешок на голову, в машину, привезли — а там Гор привязанный. Облили бы бензином и сказали бы важно: «Так будет гореть каждый гей, сотрудничающий с тобой, Иван».

Собчак: Мракобесная подстилка!

Гор: Лени Рифеншталь с красными штанами!

Собчак: Занятно, что мы все время приходим к параллелям между евреями и геями.

Гор: Ну так это же сравнимые вещи! Будучи евреем, я...

Красовский: Ах, ты еще и еврей.

Собчак: Тесака тоже бы стал стилизовать?

Гор: Нет, конечно!

Собчак: Не понимаю, где логика? Охлобыстин и Тесак — это же сейчас практически одно и то же!

Гор: Ну, нет все-таки.

Красовский: (глядя на рекламу с Охлобыстиным в розовых штанах) Чисто стареющий гомосек из клуба «Эльф».

Собчак: (деловито перебирая меховушки на капюшонах) У меня вопрос к вам обоим, мальчики.

А есть у гей-сообщества какое-то оскорбительное слово, которым называют натуралов? Ну, типа ответочки на «пидорас»? Как у хохлов — «москаль»?

Красовский и Гор: (растерянно переглянувшись, хором) Нет!

Собчак: Ну вы даете, вообще. То есть вы даже оскорбить натурала не можете? Ну, скажем, <цензура>. Короче, я поняла: пока я лично не возглавлю ваше гей-комьюнити, у вас дела не пойдут!

Глава третья.
Кафе «Бублик»,
Тверской бульвар, 24

— т +

— Ну все, поехали в «Бублик», — сказала Собчак, — а то опоздаем к отцу Иоанну.

— А он придет? — недоверчиво поинтересовался Красовский.

— Ну, вроде должен. Baon обещал.

В «Бублике» была забита стрелка: президент Baon Ярошенко, директор по маркетингу Мила Ермолаева, Охлобыстин, Собчак и Красовский.

— Ты сейчас подожди немного, — шепнула Собчак, — Ярошенко хочет со мной что-то с глазу на глаз перетереть. Пытаются, видно, Ваню слить, ищут новое лицо компании.

— Прыткие какие, — вздохнул Красовский, пропуская Собчак вперед.

В дальнем углу уже сидел худощавый мужчина в шарфе. Мужчина был похож на эмигрировавшего в Чехословакию поляка. В морщинах,

Ксения Собчак

в раньше времени появившихся впадинах на щеках, в тоскливом и равнодушном взгляде — во всем его естестве сочились бессмысленность совершенного им когда-то выбора.

За столом сидел человек, рожденный, возможно, командовать фронтом, но вынужденный заниматься отшивом кальсон.

Красовский: Каким образом вам пришла идея, что новую концепцию вашего бренда должен представлять отец Иоанн?

Ярошенко: Мы выбирали человека с неким, как нам кажется, положительным имиджем, с философией, соответствующей бренду. Иван Охлобыстин — семьянин, популярный актер с высоким рейтингом, шестеро детей.

Собчак: Вот он такой положительный герой, и дальше происходит фигня — вдруг этот положительный герой говорит про сжигание в печах, пишет донос президенту и так далее.

Ярошенко: Это произошло 13 декабря. У нас уже практически обговорен контракт. Никто из нас не слышал эту речь. Какой-то скандал разрастается, и мы подумали: это прекрасно, это тот человек, который нам нужен. Это человек, который будет подкидывать...

Красовский: ...дрова в печку. (Смеются.)

Ярошенко: В доме повешенного не говорят о веревках. Давайте попробуем избежать темы печек...

(Входит Мила Ермолаева.)

Красовский: Давай все разложим по порядку. Значит, 13 декабря Иван Иванович сделал заявление, 14-го утром я пишу о том, что Иван Иванович делает такое заявление. Пишу: «Мила, посмотри на твое новое лицо компании». Ты мне пишешь: «Это невозможно, он таких заявлений делать не мог, это все вранье».

Ермолаева: Я верю в слова, которые сказал Малис, если я не ошибаюсь, что Охлобыстин реально психанул, его достали. Я не знаю, что там было в самом начале.

Красовский: Там есть прямой вопрос из зала: «Как вы относитесь к гомосексуалистам?» — «Я считаю, что гомосексуалистов надо сжигать». Аплодисменты зала.

Ярошенко: Секунду, тогда «содомитов», а не просто людей с какой-то ориентацией.

Собчак: Содомиты — это, собственно, геи и есть.

Ярошенко: Нет, это, наверное, те, которые совсем уже...

Красовский: А совсем уже — это как? Несмотря на то что я гей, я не разбираюсь, видимо, в градациях.

Собчак: Дело в том, что против подобного рода заявлений нигде в мире нет законов. Единственный способ, которым общество во всех странах научилось бороться с такого рода провокациями, — это общественное порицание. Человек, заявляющий подобные вещи в Америке, в Англии, в Германии — где угодно — про геев, про евреев, про женщин или чернокожих, становится изгоем. Его перестают принимать на работу, подписывать рекламные контракты. Почему вы не внесли свою лепту в то, чтобы показать Ивану, что такие вещи невозможны и не должны существовать? Почему вы не проучили Охлобыстина за это его высказывание?

Ярошенко: Между нами и странами, которые вы перечислили, — Европой и Америкой — есть разница. Мы немножко отличаемся от них. Возможно, мы не доросли до их менталитета, а возможно, они переросли не туда, куда надо. У них одни ценности, у нас немножко другие.

Собчак: Что вы имеете в виду?

Ярошенко: То, что гомосексуальные семьи могут усыновлять и удочерять детей. Вот мое личное мнение — это неправильно. Если хочется ребенка, пересиль себя и свяжись с женщиной или с мужчиной.

Красовский: Кстати, очень многие геи поддерживают вашу точку зрения.

Ярошенко: Ура! Хоть что-то…

Собчак: Хорошо, в чем-то мы не доросли до Европы, в чем-то они переросли. Но ведь вопрос же не в обществе, а конкретно в вас. Решение по поводу Ивана Охлобыстина принимает конкретный человек — вы. И если лично вы доросли до понимания того, что фраза о сжигании в печах или донос президенту — это нехорошо…

Ярошенко: Секундочку, сжигание в печах — да. А «донос президенту»… Наше медийное лицо и наш креативный человек такой же свободный гражданин Российской Федерации, и он может выражать свое мнение. И вот он хочет статью об уголовной ответственности за мужеложство.

Красовский: Но вы против нее?

Ярошенко: Я бы проголосовал за то, что сексуальность человека — его дело, но не надо пропагандировать это.

Собчак: Слово «пропагандировать» очень иезуитское. В него можно вложить все что угодно.

Ярошенко: Пропаганда, которой нас все пугают, иногда показывает, что это не так уж и плохо.

Красовский: То есть вы считаете, что гей-пропаганда — это когда говорится, что геи — это не всегда плохо?

Ярошенко: Да.

Красовский: То есть вы считаете, что реклама Baon — это когда вы говорите, что Baon — это не всегда говно? По-моему, пропаганда — это когда говорят, что это круто.

Ярошенко: Любая пропаганда что-либо говорит, что это хорошо. И вот я хотел бы, чтобы ее не было. Это мое личное мнение как отца троих сыновей.

Собчак: То есть когда ваши сыновья спросят: папа, а вот когда двое мужчин... Что вы скажете им?

Ярошенко: Я пятнадцатилетнему уже объяснил, что на тему гомосексуализма острить не надо.

Собчак: Представляете, ваш мальчик спросит: «Папа, а почему же тогда твою компанию рекламирует дядя, который говорит, что этих гомосеков надо сжечь? Если над ними даже смеяться нельзя».

Ярошенко: А есть ли какая-то статистика, сколько людей поддерживает его высказывания?

Собчак: Большинство людей вообще против гомосексуалистов в нашей стране. Но какое это имеет отношение к вам? Если вы считаете, что даже смеяться над геями не надо, почему же вы берете в компанию человека, который не просто смеется, а призывает их сжигать? Не противоречит ли это тому, что вы рассказываете вашим детям?

Ярошенко: Потому что мои дети — один уже учится в Англии, второй собирается с этого года учиться в Англии — будут воспитываться какое-то время там, в том толерантном обществе. В нашем обществе это не нужно, мы другие.

Красовский: То есть вы отправляете своих мальчиков в такой адский евросодом, где закрытые школы, где одна педерастия, где ничего кроме этого и нет. Вы отправляете двоих своих парней в эту Англию и говорите, что мы не доросли...

Ярошенко: Евросодом — по моей версии это был Амстердам, не глубинка Англии.

Красовский: Да, Англия — это классические семейные ценности. (Смеются.) Вы отправляете туда двух своих парней, при этом вы еще сами не понимаете, то ли мы не доросли, то ли они нас переросли, но главное — нам это не надо. Зачем тогда вы детей своих туда отправляете?

Собчак: Слушайте, это же как Гиммлер, который был женат на еврейке. Он тоже с трибун кричал о том, что это люди пятого сорта, и при этом обожал свою еврейскую жену.

Ярошенко: Давайте я Гиммлера не буду комментировать.

Собчак: Ну что ж, по-моему, прекрасно. Мы, конечно, не дождались Ивана... А он недостижим для связи, да?

Ермолаева: Я общаюсь с его директором.

Собчак: А что он должен по контракту у вас делать? Только фотосессии?

Ярошенко: Нет, акции с детьми. Мы все-таки не совсем плохие, не только сжиганием будем заниматься, но еще и детям помогать. С фондом «Линия жизни». То есть не все так плохо.

Собчак: Кстати, Чулпан Хаматова была бы прекрасным таким лицом, семейным... Или она не захотела?

Ярошенко: Мы ее не рассматривали. Не тот рейтинг.

Глава четвертая.
Съемочная площадка
сериала «Интерны»

— T +

— Слушай, ты как хочешь, — сказал Красовский Собчак, — а я поеду на площадку «Интернов». А ты потом приезжай.

— Ладно, договорились.

Какая-то улица между ТЭЦ и путепроводом, заводские склады, неприветливые пятиэтажки из силикатного кирпича. В просвете между ними виднеется зеленый купол старообрядческой церкви. Поворот, шлагбаум, грязная жесть забора, бывший цех превратился в съемочный павильон. Там, где раньше паковали стружку, живет сериал «Кухня», а справа от входа, где когда-то стояли станки, — «Интерны». На входе расписание: Охлобыстин И. И., все дни, кроме субботы и воскресенья.

— А где Иваныч-то?

— Да на гриме, поди, — не обращая на нас внимания, бросает ассистентка режиссера.

Но ни в гримерных, ни на съемках, ни в туалете, ни в буфете отца Иоанна нет.

Он исчез. Словно и не было, будто все, что пишется от его имени, сочиняет какая-нибудь Крис Потупчик или блогер Политтрэш между селфи и борщом.

Звонит Собчак: «Ну что там?»

— Ничего. А у тебя?

— Едем к Малису, он нас ждет.

Глава пятая.
Офис компании «Евросеть», Беговая, 3

— т +

Малис — президент компании «Евросеть», человек в костюме без размера и цвета — такие носят все правоверные евреи. Кипа на заколке, ботинки с тупыми носами. Он сидит на самом верху бизнес-центра в районе Третьего кольца: железнодорожные пути, ипподром, вдалеке все те же кремлевские звезды в кофейной пенке. По стенам развешаны портреты каких-то раввинов, цитаты из Торы, на двери — обращение к извращенцам, позаимствованное из Книги Притч Соломоновых (10:9):

«Кто ходит в непорочности, тот ходит безопасно, а кто извращает пути свои, тот будет наказан».

Пару дней назад «Евросеть», которую Малис возглавляет, официально закончила все контрактные отношения с безуспешно разыскиваемым Иваном Ивановичем.

Собчак: К сожалению, мы к тебе пришли по поводу все той же истории, которая вроде для тебя уже закончилась. Все-таки почему ты сказал, что Охлобыстин ушел сам? Охлобыстин же признался, что это было твое решение. И почему оно было принято не сразу?

Малис: Нужно понимать, что Охлобыстина достаточно сильно развели. Это ведь только часть его слов.

Собчак: В этом-то вся суть развода: человек сказал правду.

Малис: Человек говорит то, что ему нравится говорить в данный момент, особенно артист. Мы много общаемся с артистами, у них немножко детский взгляд на вещи.

Собчак: Артисты жадные сукины сыны. Чтобы Охлобыстин сам ушел из «Евросети», потому что кто-то ему позвонил, — в жизни не поверю. Охлобыстин деньги любит, за деньги маму в цирк сдаст. Поэтому я не верю, что он мог от тебя уйти сам, Саш, при всем моем уважении.

Малис: Охлобыстин мог зарабатывать на роликах, и я могу сказать, что вопрос не снимать его в роликах даже не стоит. Как только у меня будет креатив, который будет ему подходить, я позвоню и предложу ему ролики.

Собчак: Правильно ли я понимаю, что гомофобия сегодня в России хорошо продается?

Малис: Я скажу тебе честно: есть некоторые вещи, которые очень хорошо в России продаются. Очень хорошо продаются наркотики. Я уверен, есть еще масса вещей, которые очень хорошо продаются, но которые мне западло продавать.

Собчак: Не считаешь ли ты, что сегодня продавать Охлобыстина — это продавать гомофобию?

Красовский: А продавать гомофобию — это как продавать наркотики, тоже западло.

Малис: Наверное… Если через месяц у меня появится хороший креатив под Ивана Охлобыстина, мы начнем замерять, с чем он ассоциируется. И если мы поймем, что не с тем, какой он артист, а с тем, что он гомофоб, — для меня это будет серьезный выбор. Я бы этого не хотел.

Красовский: Я как единственный пидорас за этим столом хочу сказать, что не вижу ничего плохого в том, чтобы быть гомофобом. С моей точки зрения, всегда есть люди, которые кого-то не любят.

Малис: Я тебе скажу как единственный еврей за этим столом: человек антисемит не потому, что он хороший или плохой, — он сделать с собой ничего не может.

Собчак: Но есть антисемиты, которые это скрывают, а есть, которые выбирают это своим жизненным кредо.

Малис: Я не знаю, что лучше. У меня есть много людей, с которыми у меня хорошие отношения, и они прямо мне говорят: «Ну прости вот, не в обиду, все в тебе хорошо, но…» А когда человек скрывает, поверь, это гораздо хуже.

Собчак: Хорошо. Ты скрываешь, что ты гомофоб, или нет?

Малис: А откуда ты знаешь, что я гомофоб?

Собчак: Я много общалась с твоим братом, который очень подробно мне рассказывал об иудейском вероисповедании, иногда даже больше, чем мне хотелось.

Малис: Ксюша, скажи, пожалуйста, я люблю лобстера или нет?

Собчак: Лобстера — нет, ты не можешь их есть, для тебя такой еды не существует. Это некошерно.

Малис: Но скажу честно: когда едят лобстеров, некое желание попробовать у меня есть. Но я его не ем, потому что мне нельзя его есть. Я точно знаю, что написано в Торе: евреям нельзя заниматься гомосексуализмом. Но не могу сказать, что гомосексуализм — это какая-то вещь, которая противоестественна для человечества. В Египте почти все мужчины были гомосексуалистами. В Греции почти все мужчины были гомосексуалистами. Это в истории человечества было всегда.

Собчак: А в Торе, прости, как конкретно написано?

Малис: Евреям нельзя быть гомосексуалистами.

Собчак: Это грех?

Малис: Это нельзя. Это инструкция к применению этого мира.

Собчак: А какое-то оценочное осуждение гомосексуальных связей есть в иудейской вере? Что это ужасно, что это отвратительно, что такие люди подобны животным?

Малис: Смотри: если гей еврей, его надо убить. Про остальные национальности в Ветхом Завете ничего не написано.

Собчак: Правильно ли я понимаю, что если перед собой ты видишь еврея-гея, то ты обязан его убить?

Малис: Нет, конечно. Потому что там же написан и способ: должен быть специальный суд из семидесяти человек, которые знают семьдесят языков, и так далее.

Красовский: То есть это классическое еврейское лицемерие. Убить пидора невозможно все равно.

Собчак: Существует определенная параллель между гонениями на евреев, геев, на любую социальную группу, неважно, по принципам национальности, расы или сексуальных предпочтений. Ты — человек, который всю жизнь соблюдает свой религиозный канон, пытается делать бизнес честно и правильно, — оказался впутан в очень сомнительную историю и не сделал сразу решительного шага. Тебя внутренне не гложет, что так получилось?

Малис: Ксюш, люди, от которых зависит мое материальное благополучие, требовали сделать это прямо сразу. С другой стороны, была какая-то другая часть общества…

Красовский: То есть акционеры требовали, чтобы вы его уволили? То есть позвонил Михаил Маратович и сказал: «Значит, так, увольняем мудака»?

Малис: Михаил Маратович не позвонил, но некоторое требование от разных людей достаточно высокого уровня было.

Собчак: Алишер Усманов? Или кто?

Красовский: Думаю, все-таки либо узбек, либо еврей.

Собчак: Мне кажется, узбеку по фиг. Кроме того, он сидел. Не может узбек и бывший зэк заступаться за геев.

Малис: Ксюша, я все равно не скажу[1].

Красовский: А это, кстати, с хорошей стороны характеризует этого человека.

Малис: С другой стороны, была другая часть общества... Для меня в этой ситуации как раз достаточно решительным поступком было высказать мое мнение, что я его не уволю за это, но при этом не поддерживаю.

Красовский: Понятно. А вот если бы Иван Иванович Охлобыстин все-таки сказал то, что он думает на самом деле, — что в печь надо не только геев, но и евреев? Вы бы задумались о том, уволить его или нет? Или тоже сделали бы такой мужественный шаг и написали, что вы за плюрализм?

Малис: Задайте более сложный вопрос. Если бы он сказал, что он против Путина конкретно, уволил бы я его или нет?

Собчак: На это ты скажешь: «Ну, условия в бизнесе такие, что если ты против Путина — ты не можешь работать на большую компанию, у меня акционеры».

Малис: Я бы его не уволил, но я уверен — и такие случаи, скажем, в моей жизни были, — что человек бы сам уволился достаточно быстро. Иногда для того, чтобы человек понял, что он переступил черту, ему не нужно это говорить.

Собчак: А откуда такая, извини меня за бытовой антисемитизм, еврейская форма вот этого «по собственному желанию»? Почему не сделать честно?

Малис: Как только все началось, Ваня мне позвонил. И предложил уволиться сам. Как нам удобно, в любой форме.

Собчак: Все-таки за какое высказывание президент компании «Евросеть» уволит любого своего сотрудника?

Малис: За любое публичное высказывание, которое я субъективно, как человек, который несет ответственность за эту компанию, сочту незаконным.

Красовский: «Гори в аду, кровавый Путин» — будет уволен человек?

Малис: «Гори в аду, кровавый Путин» — сто процентов будет уволен.

Красовский: «Гори в аду, жид» или «Гори в аду, пидор» — нет, не будет, а «Гори в аду, кровавый Путин» — будет. А почему?

Малис: Когда он скажет не «гори в аду», а «надо убить Ивана Ивановича Иванова, потому что он педераст» — вот это высказывание на сто процентов приведет к увольнению.

Собчак: То есть надо конкретного человека иметь в виду. «Гори в аду, Навальный» — тоже человек будет уволен?

Малис: «Гори в аду, Навальный» — это будет жесткая профилактическая беседа... Опять же мое субъективное мнение.

Собчак: Тут какие-то двойные стандарты, мне кажется.

Красовский: За «Гори в аду, Игорь Иванович Сечин» увольняем, нет?

Малис: Смотрите, это всегда субъективное мнение.

Собчак: Давайте потом таблицу составим...

Малис: Нет, я просто точно знаю, что про президента страны, по закону, это нельзя говорить.

Красовский: В компании «Евросеть» есть открытые геи?

Малис: Есть.

Красовский: И в руководстве компании?

Малис: В руководстве большом — нет. В руководстве более низкого уровня — много. Я уверен, что это соответствует проценту среди населения в целом. Потому что мы всегда смотрим на профессиональные качества. Кто-то приходит и говорит: «я лесбиянка» или «я гей». Ну, о'кей. Я, честно говоря, не понимаю, зачем ты мне это сказал. Чтобы что?

Красовский: И как вы реагируете?

Малис: Я боюсь обидеть человека словами: «Зачем ты вообще ко мне пришел? Я должен повысить тебя, понизить, уволить, премию дать?» Это как если бы ко мне пришел человек и сказал: «Вы знаете, а вот вчера я с женой занялся анальным сексом». И что? Зачем мне это знать?

Красовский: А скажи, пожалуйста, я понимаю, что ты не имел отношения к этой всей истории, но считаешь ли ты допустимым, как повели себя в этой компании по отношению к человеку, который ее основал?

Малис: Я считаю, что по отношению к человеку, который основал компанию, поступили гораздо лучше, чем это вообще могло бы быть при других обстоятельствах. И по деньгам он получил гораздо больше, чем, собственно, ожидалось, что он получит. Ну, я-то знаю всю историю. Женя должен был получить пять миллионов долларов, и до свидания.

Собчак: По сути у него была ситуация, при которой он между Сциллой и Харибдой — либо этим отдаться, либо тем.

Малис: Ситуация, да простят меня все, была очень простая: еще шесть дней, и компания закрывается. Просто пришли бы банки и закрыли «Евросеть». Все забыли бы о существовании этой компании.

Собчак: То есть ты считаешь, что с ним поступили справедливо?

Малис: Ксюш, если эту сумму, которую он получил, разделить даже на вас двоих, ты бы просто прекратила делать все в своей жизни.

Собчак: Ну, хоть у одного гея все нормально.

Красовский: То есть ты сейчас зашкварила Чичваркина?

Собчак: Нет, ну я свечку не держала. Мне кажется, это очевидно.

Красовский: Да нет же. Он стопудово натурал!

Малис: Не знаю, Ксюш. Мне кажется, Антон прав. В Лондоне не только пидоры живут.

Эпилог

Заштатный иерей Иоанн все не находился. То продюсер сообщит, что его вычеркнули из расписания. То пранкеры доложат, что нашли его вроде бы в Австрии, в Альпах, где в атмосферной прозрачности духовные скрепы проявляются особенно ясно. То общие знакомые друзья: нет, он уже вернулся, но сейчас очень занят, готовится к патриотической проповеди на Поклонной горе. На проповедь предлагались билеты: обыкновенные — по тысяче, VIP — по две. На минуту показалось, что Виктор Олегович Пелевин заступил к Ивану Иванычу Охлобыстину на службу пиар-менеджером.

Тут у Собчак пискнул телефон. Это был ответ дочери Ивана Ивановича на ее неустанные домогательства.

— Я папе передала. Когда сможет... позвонит вам.

Через минуту еще одна эмэмэска — чтобы не показаться неучтивой, девушка прислала смайлик.

— О'кей! — ответ Ксении был исполнен затаенных надежд. Но вскоре стало ясно, что они не сбудутся никогда.

— Простите, Ксения, но папе духовник запретил общаться с кем-либо из шоу-бизнеса. Папа звонил со съемок сейчас… и просил передать, вы все равно хорошая.

Нет, все-таки не Пелевин (не говоря уж о Гоголе). Все же Сорокин. Или оба два, на полставки.

[1] В телефонном разговоре Михаил Маратович Фридман подтвердил, что беседовал с Александром Малисом о заявлении Охлобыстина.

Часть шестая

ДОРОГА К ХРАМУ

«Какой ужас! Кощунница Собчак нарядилась в одежду православного священника, это свято-татство!» — закричал кое-кто, когда этот репортаж увидел свет в 2015 году. Если кто-то тогда меня не слушал, послушайте сейчас: священные ризы ненастоящие, это театральный реквизит. Если актерам на сцене можно их надевать, то, наверное, можно и мне. Ради благого дела.

А дело-то у нас было самое что ни на есть благое. Тогда, два года назад, нам вдруг показалось, что страна наша Россия как-то чересчур увлеклась религиозными исканиями. В самой религии, я думаю, нет ничего страшного или дурного — через подобные увлечения проходят многие люди и целые народы. Пусть даже я сама совершенно по-другому представляю себе силы, создавшие меня и прочее мироздание со всеми его галактиками и квантовой теорией поля — тем не менее, я охотно допускаю, что чья-то картина мира становится яснее и гармоничнее, если строить ее на постулатах традиционных религий. Проблемы, мне кажется, начинаются в тот момент, когда государство пытается наложить на религию свою тяжелую руку, используя ее для лукавых целей. Или когда сами служители веры забывают о заповедях морали и законах мироздания, без меры увлекаясь вопросами государственного строительства... даже не знаю, что хуже.

Так или иначе, мы решили поговорить об этом с представителями главных российских религий, чтобы отделить зерна от плевел, а бисер — от свиней. Скептические ухмылки на наших лицах — лишь наивное средство индивидуальной защиты. Мы просто хотели во всем разобраться. Ибо сказано: «толцыте, и отверзется» (Мф. 7:8)

(Июнь 2015)

Дорога к храму

Ксения Собчак и Антон Красовский, подобно равноапостольному князю Владимиру, встретились с представителями мировых религий, дабы выбрать, какая из них им больше подходит

Господи, вот перед Тобой два шута. Тетка в клоунской бороде, мужик — в сарафане. Нелепо, смешно, безрассудно, безумно…

— Да, да, Красовский, давай напиши — волшебно, — Собчак резко схватила чашку кофе. — Не Богу своему писать надо, а в Следственный комитет. Правильно я говорю? — Партнеры адвокатской коллегии Pen&Paper одобрительно закивали.

— Сколько уже можно? Что мы с тобой ни придумаем, все время попадаем в историю. То в бандеровцы нас запишут, то в крымнашисты. Теперь вот еще заметку не написали, а уже чувства верующих оскорбили. Хватит! Давай сочинять ответную заяву.

— Видишь ли, Ксюш, за свою жизнь я написал множество писем разнообразным адресатам. Девушкам, юношам, старым князьям и зэкам-рецидивистам, народным артистам, прокурорам, попам, президенту, конечно. Но только Бог, как мне кажется, дочитывал все эти письма до конца. Только Он никогда не оскорблялся, не мстил, умилялся моим глупостям, любил меня. Только Он испытывал ко мне чувство, которое невозможно оскорбить. Да и вообще, в силах ли кто-то обидеть любовь? Писал же им апостол: любовь все покрывает, все переносит. Оскорбить можно лишь гордыню.

Собчак зевнула:

— Красовский, как же ты достал уже со своими проповедями. Тебе в попы надо было идти, жаль только, что пидорас.

— Господа и это не смутит, — Красовский печально вздохнул. — А вот господа вскоре за это могут и двушечку влепить.

Месяцем ранее

— Собчак, ты же баба неверующая, давай мы тебе веру подберем?

— Это зачем еще? Мне и так неплохо. Я вообще считаю, что добро и вера — вещи не связанные.

— Ну нам же надо про что-то писать. Вот тут собираются поставить стометровый памятник князю Владимиру. Тому самому, что идолов в Днепре утопил. Теперь вот его идол над Москвой-рекой утвердится. Давай мы с тобой, как и он, повстречаемся с разными попами, а ты потом решишь, кто тебе милей.

— Ну а что, — задумалась Собчак, — может, и мне тогда через тысячу лет памятник поставят.

— Да-да, поставят, — хихикнул Красовский, — над Колымой.

Руси есть веселие пить

— т +

Поклонная гора. В парке, за уродливой стелой пристроился комплекс ритуальных сооружений. Православный храм, синагога, мечеть. В мечеть-то в поисках добра и красоты и направились наши герои.

— Тут разуваться надо? — испуганно прошептала Собчак, увидев ящик с обувью у входа.

— Да, конечно. Но не переживайте, у нас тут чисто, уборщица моет три раза в день.

И действительно, мечеть была больше похожа на дом нестарого мужчины с возможностями и даже определенным вкусом, скорее сформированным глянцевыми журналами, чем ниспосланным Аллахом.

Вот мраморная лестница, светлый кабинет, на полке — у стола — полная коллекция мужских ароматов Tom Ford. В министерском кресле по-турецки сидит совсем молодой человек. На столе вибрирует золотой айфон, на полу валяется — целое состояние — шелковый персидский ковер.

Ксения Собчак

Собчак: Какой у вас ценный ковер.

Имам Шамиль Аляутдинов: Так, не особо. Иранский посол, кажется, подарил.

Собчак: Мне тут нравится. Это у вас золотой айфон? Покажите, я такого не видела никогда. Слушайте, это же круто, с символикой.

Имам Шамиль Аляутдинов: Итальянская фирма «Кавьяр», они делают и с Путиным и с российским гербом. Они серийные, по-моему, по 99 штук. Я свой шестой супруге отдал.

Собчак: Давайте по порядку. Есть ли у вас статистика, сколько русских обращается в ислам ежегодно?

Имам Шамиль Аляутдинов: Такой статистики нет. Вообще не поднимайте эту тематику, потому что очень часто ее политизируют. Если говорить о русских по национальности, то было достаточно много людей, которые интересовались вопросами религии, ислама, и те, кто становились мусульманами, тоже были. Но если это люди уже в достаточно осознанном возрасте, то они обычно в своем окружении это не афишируют — очень часто ислам ассоциируется с чем-то негативным.

Собчак: Вот почему, кстати, так?

Имам Шамиль Аляутдинов: Я об этом очень много писал и говорил. Понимаете, я сам религиозно практикующий с 1986 года, и тогда ничего подобного не было. На территории Афганистана была такая своеобразная война между Советским Союзом и Соединенными Штатами. У Штатов были свои интересы, у Союза были свои интересы. Стали появляться так называемые моджахеды, люди с определенными идеологическими перекосами, то есть некие бесплатные солдаты для интересов Англии и Америки. И тематика терроризма была налажена буквально лет 15–16 назад. Я бывал на разных ток-шоу, цитировал из Корана, приводил четкие ясные цитаты, что ислам и терроризм совершенно несовместимы. В Коране даже написано: за подобные действия — смертная казнь. Терроризма никогда не было. А в последнее время, как раз вот с учетом нефтяных интересов, с учетом геополитических интересов Англии и Америки, это очень серьезный бренд. Исламский терроризм — это, конечно, в первую очередь трагедия для мусульман, то есть гибнут-то мусульмане.

Красовский: Но все-таки отношение евроатлантического мира к миру мусульманскому изменилось не потому, что США поддерживали моджахедов и появился терроризм, а потому, что произошла действительно серьезная муслимизация Ближнего и Среднего Востока. Например, появилось исламское государство Иран.

Ксения Собчак

Имам Шамиль Аляутдинов: Когда оно появилось? До этого в Иране ислама не было?

Красовский: Конечно, был, но там при этом было прекрасное светское государство с девушками, которые ходили в коротких юбках. А проблема ислама, то есть восприятия ислама, появилась после того, как пришел Хомейни.

Имам Шамиль Аляутдинов: Это вам так кажется.

Красовский: Считаете ли вы, что негативное отношение к мусульманам среди людей евроатлантической культуры, — а русские, безусловно, это люди евроатлантической культуры, — связано с тем, что мусульмане навязывают свое представление о добре и зле всем людям вокруг?

Имам Шамиль Аляутдинов: Работая последние 18 лет, я общаюсь и с мусульманами, и с немусульманами. От всех самых разных людей, где бы я ни находился, в адрес ислама я слышу только хорошее: хорошо, что в исламе не пьют, что запрещено прелюбодеяние, что запрещены наркотики. Я не слышу того, о чем вы говорите, что ислам навязывает.

Собчак: Вот смотрите: я светский человек, я хочу жить по своим светским законам. И мне нравится, что мы живем в принципе в глобально светском мире. Я приезжаю в Индию, они соблюдают свои ритуалы, молятся своим богам, едят свою вегетарианскую пищу, но у меня нет ни одной проблемы найти там мясо в любое время, когда я хочу, выпить, когда я хочу, — они там тоже не пьют. То есть у них есть своя религия, но я с ней никак не соприкасаюсь. Я приезжаю в Израиль. Если я хочу идти на гей-парад, я иду на гей-парад. Хочу на пляже в купальнике полежать — никакие хасиды не прибегут и камнями меня не закидают. А потом я приезжаю в Чечню, и я понимаю, что я в купальнике пойти никуда не могу, выпить я не могу в ресторане, а как бы про гей-парады вообще говорить не будем. Почему ислам не может мирно сосуществовать с мини-юбками, с алкоголем в барах и так далее?

Имам Шамиль Аляутдинов: В России порядка 20 миллионов мусульман, но на то же самое спиртное это никак не влияет. Оно продается в обычных магазинах.

Собчак: В Чечне не продается.

Имам Шамиль Аляутдинов: Чечня… Вы тогда были еще достаточно маленькой, когда там произошла та трагедия, которая произошла. И даже сейчас, когда вы приезжаете погостить и погулять, вы не видите, какое количество инвалидов и покалеченных людей там живут.

Красовский: Слушайте, вам не кажется, что вы сами с этого начали: за последние 30 лет в исламском мире происходит резкий уклон в религиозный экстремизм?

Имам Шамиль Аляутдинов: Англия и Америка тоже очень много сделали для этого.

Красовский: Англия и Америка, что ли, Иран с «Исламским государством» построили?

Имам Шамиль Аляутдинов: Идеологически. Почитайте историю Англии, как они управляли миром, как стараются влиять на него, да? Самые сильные спецслужбы — это Израиль, Англия, Америка. Все террористические группировки в основном базируются именно в Англии.

Красовский: То есть не в Саудовской Аравии, а в Лондоне «Аль-Каида» базируется? И «Исламское государство» в Лондоне?

Имам Шамиль Аляутдинов: Если вы помните, как раз в день выборов на второй срок Буша откуда ни возьмись появляется запись Усамы бен Ладена, которого ищут по всему миру и который прямо вот такое большое лицо. Сам бен Ладен говорит: если вы проголосуете за Буша, то я вам покажу кузькину мать и так далее.

Красовский: Ну не совсем так он говорил, но логика ваша понятна. То есть он был нанят ЦРУ, чтоб Буша поддержать?

Имам Шамиль Аляутдинов: Никогда по этому поводу сомнений не было. То есть чистой воды человек цээрушный, который был воспитан в Афганистане теми же самыми цээрушниками. Ну просто вы с одной стороны изучаете мир.

Собчак: Ну, история нас рассудит. Давайте вернемся к основной теме, которую мы здесь начали: что ислам — религия самая агрессивная, в смысле распространения того, во что вы верите.

Имам Шамиль Аляутдинов: Агрессия — слово, которое я никогда не слышал нигде и нигде в исламе. В мусульманской культуре такого нет, вообще даже таких слов не употребляют.

Красовский: При этом мы видим «Исламское государство», мы видим, как людям головы отрезают.

Имам Шамиль Аляутдинов: Нет, это к исламу никакого отношения не имеет. Отнесите это к Израилю, США.

Красовский: А есть какой-то лидер исламского мира, на котором, помимо Буша, Тэтчер, Оланда,

Меркель, тоже лежит ответственность за то, что происходит сейчас в мусульманских странах?

Имам Шамиль Аляутдинов: Я часто говорю про Семью Саудовской Аравии, про многие правящие круги. На сегодняшний день все завязано на геополитике, на интересах определенного количества людей, которым если где-то нужно развязать войну, они ее развязывают. Был недавно в Бишкеке, там встречался с человеком. Он говорит, что сейчас там поставили американским послом того, который организует все вот эти цветные революции. Только в одной Киргизии 14 тысяч вот этих разных американских фондов.

Красовский: Слушайте, я с огромным количеством людей общаюсь в своей жизни. И ни один человек в моей жизни, кроме мусульман, столько не говорит про Америку. Никогда никто, кроме мусульман, не говорит: во всем виноваты американцы. Ну еще русские теперь, это такая мода снова пришла в Россию.

Имам Шамиль Аляутдинов: Не Америка виновата во всем. Геополитика, нефть. В этом замешаны все, мусульмане, которым это выгодно, и немусульмане, которым это выгодно.

Собчак: Хорошо. Какое исламское государство с вашей точки зрения идеальное?

Имам Шамиль Аляутдинов: Где наиболее развита демократия.

Собчак: Назовите страну.

Имам Шамиль Аляутдинов: Я не знаю.

Собчак: Вы сказали, что много путешествуете. Вот где вы как мусульманин чувствовали себя с религиозной точки зрения лучше всего?

Имам Шамиль Аляутдинов: Я же в органах власти не бываю, в местном суде не бываю. Вопрос комфорта зависит от того, как вы к этому относитесь. Вот мы однажды на Мальте оказались с детьми, у меня трое было детей, маленькие. И вот в кафешке смотришь — везде сплошь пожилые люди сидят, молодежи и детей вообще нет. Неуютно.

Собчак: Может быть, в Мекке вы себя хорошо чувствуете?

Имам Шамиль Аляутдинов: Если брать мечеть, там ты комфортно себя чувствуешь. Если брать вообще территорию — при тех триллионах долларов, которые Саудовская семья зарабатывает, многие сунниты живут в нищете.

Красовский: Если для мусульманина лучшее государственное устройство — это демократия, почему же так получается, что нет ни одной мусульманской демократии?

Имам Шамиль Аляутдинов: Потому что люди все разные. Это совершенно нормально.

Красовский: Люди-то безусловно разные, но все демократические режимы — это режимы так или иначе евроатлантические?

Имам Шамиль Аляутдинов: Те же самые предвыборные кампании стоят многих сотен миллионов, а то и миллиардов долларов.

Красовский: Я правильно понял, что единственное, что останавливает великий исламский мир от построения либеральной демократии, — это деньги?

Имам Шамиль Аляутдинов: Ну, у нас с вами насколько разная логика. Я сказал совсем о другом: о том, что тамошняя демократия — это тоже до определенной степени демократия. В зависимости от того, сколько у вас денег, ваша партия имеет больше шансов получить место в парламенте или президентское кресло. А потом уже продвигать свои интересы. То есть это все зависит от очень многих вещей, которые навязывают людям, как та же самая реклама.

Беседа все отчетливей напоминала абсурдную юмореску про грузина и доцента.

Красовский: А вам бы хотелось, чтобы президентом России стал мусульманин? Рамзан Кадыров баллотируется в президенты России. Вы за него будете голосовать?

Имам Шамиль Аляутдинов: Важны качества. Мы с ним общались по телефону, но лично близко я с ним не знаком.

Красовский: Вот смотрите, ставлю вас в гипотетическую ситуацию. У вас выбор: христианин и мусульманин. Причем оба ярко выраженные. Представьте себе, что на выборы президента идет человек, который о христианстве говорит приблизительно так же, как Рамзан Кадыров об исламе. С бородой, с огромным крестом, все время фотографируется на фоне икон. И Кадыров. Вы за кого проголосуете? За мусульманина или за христианина?

Имам Шамиль Аляутдинов: Президенту важно быть вне культур, вне предпочтений.

Собчак: То есть за Прохорова?

Имам Шамиль Аляутдинов: Если у человека нет семьи, он очень многое не понимает. Если он не взял на себя ответственность.

Красовский: У Путина нет семьи, он разведенный.

Имам Шамиль Аляутдинов: У него была семья.

Собчак: Так у Путина с этим делом еще хуже, исходя из вашей же логики. У него была семья, а он ее разрушил!

Имам Шамиль Аляутдинов: Вы так любите свою нелюбовь демонстрировать в адрес Кадырова и Путина. Когда у вас вырастут дети, вы сами проанализируете, если вдруг ваш муж от вас уйдет. Поэтому здесь лучше не надо судить других, касательно того, что вы не прошли.

Собчак: А почему, кстати, женщины отдельно молятся в мечети?

Имам Шамиль Аляутдинов: В большой степени это чтобы человек был сосредоточен на поклонении Богу. Мужчины обычно больше молятся. Для мужчины, например, посещать пятничную проповедь обязательно. Для женщины — нет. Потому что мужчина — глава семьи, ему послушать проповедь полезно, и он может потом дома это передать. А у жены много дел, связанных с детьми, с домашним хозяйством.

Красовский: Вам не кажется, что это сексизм? Я понимаю, что в мире, в котором отрезают головы, само слово «сексизм» звучит смешно.

Имам Шамиль Аляутдинов: Это ваш мир. В моем мире головы не отрезают.

Собчак: Не, ну действительно, не все мусульмане хотят кому-то отрубить голову.

Красовский: В христианстве существует понятие о том, что все люди равны перед Богом.

Имам Шамиль Аляутдинов: Мужчины и женщины абсолютно равны, в Коране об этом четко сказано.

Собчак: Вот ты идешь в мир и смотришь: где женщины более счастливы, где мужчины более счастливы?

Имам Шамиль Аляутдинов: Что, в мусульманском мире менее счастливы? Все, в том числе христианки, стараются за мусульман выходить замуж.

Собчак: Серьезно? Я такого не знаю.

Имам Шамиль Аляутдинов: Тенденция эта велика, потому что не пьют, не курят, то есть вредных привычек нет. Зато есть ответственность.

И имам Аляутдинов с пониманием покрутил в руках золотой айфон.

Красовский и Собчак вышли на улицу, грустно кивнули друг другу и разъехались в разные стороны. Символ победы над Американским Заговором — кирпичная мечеть нелетающим протоном нацелилась в небеса. Через час Собчак получила от Красовского SMS:

«Все же нет».

«Нет, конечно, — ответил она, — а почему?»

«Потому что нельзя все время рассказывать, какой ты ответственный, утверждая при этом, что за все твои беды ответственны США. Так не победим!»

Идите, откуда пришли, ибо отцы наши не приняли этого

— T +

На следующий день великая княгиня с отроком, как и завещал Креститель, отправились к латинянам.

Во дворе костела на Грузинской играли дети, по забору начинал уже распускаться девичий — словно в честь Девы Марии — виноград, на крыльце стоял высокий улыбчивый мужчина, похожий чемто на Пьера Безухова, решившего в порыве опрощения отрастить бороду.

Собчак: Я сразу спрошу. Чем вот католичество лучше православия?

Священник Кирилл Горбунов: Это хороший вопрос. С моей точки зрения, католическая церковь удивительна, потому что она сохранила единство. Куда бы мы ни поехали: в Бразилию, в Африку, в Корею, — везде это одна и та же католическая церковь.

Собчак: Ну то есть такая франшиза?

Красовский: Нет, франшиза — это как раз у нас. Франшизу продал нам константинопольский патриархат. А у них «Конденаст», хэдофис.

Священник Кирилл Горбунов: Здесь совсем другое. Это семья. Когда ты приезжаешь в другую страну и приходишь в церковь, то понимаешь, что ты приходишь в свою собственную семью.

Красовский: Мы же понимаем, что русский человек, который приходит в католическую церковь, бросает некий вызов. Либо это поза такая. Зачем вот русскому человеку идти в католики? Чем ксендзы интересней русских попов?

Священник Кирилл Горбунов: Ну, во-первых, я сам не очень знаком с русскими попами, поскольку я сразу попал в католическую церковь, за что Богу очень благодарен. У меня просто не было какого-то тяжелого выбора. Потом, конечно, у меня это возникало: как это так, я русский человек, и вот. Но я уже настолько проникся... Я, конечно, католик. Вот, знаете, какая вещь для меня была очень важна? Это общины, малые группы, которые существовали и существуют в католической церкви. В православии, насколько я представляю, духовность на всех одна. Ты приходишь в приход, и вот, пожалуйста. Здесь это огромное количество разных видов духовности — консервативной, более современной, и т. д. Существует как бы много таких духовных ниш, где люди разного темперамента, разного склада, разных устремлений могут находить для себя место.

Собчак: Существуют как бы группы по интересам, и при этом все католики. Это плюс. Но вот я, например, могу сказать, какие эмоции у меня вызывает католицизм. Очевидный плюс: вот я захожу в католический храм и вижу эти сидения, и я сразу вижу другое отношение к человеку. Сделано для человека и для его удобства. Есть и очевидный минус. Он связан с тем, что по разным причинам католичество имеет за собой период некой такой кровавой истории, очень растиражированной в мировом масштабе...

Красовский: Как вы думаете, великий инквизитор, который сжег именем Господа тысячи людей, он в раю?

Священник Кирилл Горбунов: Нет того греха, который нельзя было бы простить, и это правда. Если человек раскаивается в своем грехе...

Красовский: Не считали они это грехом.

Священник Кирилл Горбунов: Я не знаю, как Бог решает эту проблему.

Собчак: Как бы вы решили?

Священник Кирилл Горбунов: Никто не знает, что с человеком происходит в последние мгновения его жизни. Как ему открывается на пороге жизни и смерти эта истина божьей любви и божьего прощения. Если он приходит в ужас от осознания того, что он сделал, что зло посеял, тогда шанс у него, конечно, есть. А если он умирает с мыслью, что людей можно уничтожать ради какого-то дела, даже такого, как единство церкви или государства, — что говорить, совсем другое дело.

Собчак: Как католическая церковь относится к революциям? Вот приходит к вам человек и задает вопрос: я считаю, что современная власть несправедлива, кровава и жестока, я хочу с ней бороться. Что в такой ситуации делать?

Священник Кирилл Горбунов: Тут такое дело: когда мы читаем Новый Завет, всегда удивляет, что там вообще не говорится о политической проблематике.

Собчак: Но люди-то к вам приходят с мирскими вопросами. Вот приходит ваш прихожанин: хочу пойти на следующий митинг на Болотной. Скорее всего, будут разгонять. Но я считаю, что это правильно, потому что несправедливость в нашей стране достала. Что вы ему скажете?

Священник Кирилл Горбунов: У нас есть прихожане, которые ходят на такие митинги, а есть прихожане, которые одобряют то, что митинги разгоняют. У нас люди не выбираются по социальным и политическим убеждениям. Я понимаю, почему люди идут на такую демонстрацию, я понимаю чувство, которое они испытывают. Но, с другой стороны, когда ты священник и общаешься с людьми разных политических убеждений, ты понимаешь, что тебе невозможно занять какую-то позицию, когда и там и там люди искренне уверены в том, что они действуют по совести.

Собчак: Ну как же так может быть, церковь ведь всегда дает ответы на все вопросы!

Священник Кирилл Горбунов: Нет, это не так. Мы можем с человеком посидеть и поговорить о том, где ложь в его жизни. То, что человек идет на митинг, не значит, что это хороший человек. То, что человек не идет на митинг, не значит, что этот человек плохой. И то и другое может быть вызвано ненавистью к людям. А какой-то человек не идет на митинг не потому, что он боится, а потому, что понимает бесперспективность этого дела.

Собчак: Конкретная ситуация. Тебе не на что обеспечивать свою семью. Тебе предлагают какую-нибудь работу, которая вынуждает тебя говорить, например, неправду. Например, Дмитрий Киселев. Что аморальнее? Оставить семью в нищете или пойти на какую-то сделку со своей совестью?

Священник Кирилл Горбунов: Ну, нищета в данном случае очень часто носит весьма условный характер. Люди привыкли к определенному уровню жизни.

Собчак: Ну давайте условно: вот прямо нищета.

Священник Кирилл Горбунов: И от человека требуют продать душу, чтобы просто в следующий раз поесть?

Собчак: Да. Как поступить в этой ситуации?

Священник Кирилл Горбунов: Раз уж мы дошли до какого-то абсурдного сконцентрированного вопроса — здесь важно, какие ценности для себя человек выбирает, абсолютные или относительные. У нас есть святые. Был Святой Максимилиан Кольбе, который, находясь в концлагере, сказал: «Убейте меня вместо того человека». И его убили, конечно, не постеснялись. Вот так вот, если мы до предела доведем этот вопрос. И когда мы доходим до этого вот абсолютного предела, то каждый оказывается перед лицом истины. Могу ли я? А если мы продолжаем оставаться в каком-то условно-сослагательном состоянии: «А вот как бы я себя повел, если бы...» — не знаю я, как бы я себя повел!

Собчак: А не кажется ли вам, что миссионерству в католичестве очень мешает, что вы сохраняете какие-то каноны того времени, которое уже ушло? То же отношение к абортам, например. Если меня изнасиловал какой-то человек на улице, почему я должна от него рожать?

Священник Кирилл Горбунов: В данном случае мы имеем дело с божественным законом, который утверждает, что жизнь человека свята.

Красовский: Почему католическая церковь против презервативов? Особенно в ситуации, когда презервативы не только предохраняют от беременности, но еще и от СПИДа?

Священник Кирилл Горбунов: Источником сексуальной революции 1960-х годов было как раз появление доступных и действенных контрацептивов. И то, что мы имеем сейчас, — это практически исчезновение института семьи в мире. Зачем, собственно говоря, иметь семью, если я могу с разными людьми?

Красовский: Хорошо. Что с вашей точки зрения страшнее: заразиться СПИДом или воспользоваться презервативом?

Священник Кирилл Горбунов: Церковь любит человека. Но одновременно ее задача — ставить человека перед абсолютными требованиями божественного закона, который говорит: «Боишься заразиться СПИДом — не надо…»

Ксения Собчак

Красовский: Мы начали с того, что каждый из присутствующих в этой комнате считает, что сжигание еретиков на кострах — это плохо. То есть за некоторое не очень большое количество лет произошло серьезное видоизменение понятий добра и зла. Протестанты впереди планеты всей: там и женщины-епископы, и геи, и гей-браки. Почему вы по-прежнему считаете, что женщине нельзя быть священником и епископом?

Священник Кирилл Горбунов: Церковь по этому поводу говорит просто: она никогда не рукополагала женщин. Но основано это на том, что священник, который совершает литургию, представляет собой Христа.

Красовский: И он должен быть мужиком?

Священник Кирилл Горбунов: Это один из важных моментов. Есть и психологические моменты относительно природы женщины, но я не считаю их убедительными. Я не считаю, что женщина в принципе чем-то отличается от мужчины.

Красовский: А если будет принято решение о том, что женщина может стать и священником, и епископом, вы лично как к этому будете относиться? Вы уйдете в какой-то раскол или вы скажете: ну о'кей?

Священник Кирилл Горбунов: Для меня это тема, которая не играет существенной роли для моей веры. Я о ней не задумываюсь. И это гипотетический вопрос в сослагательном наклонении — не знаю, зачем на него отвечать.

Красовский: Ну хорошо. А вот как католическая церковь и вы лично как католический священник относитесь, например, к геям?

Священник Кирилл Горбунов: Мое отношение к геям такое, что гомосексуальный человек — это такой же человек, как все, с теми же самыми проблемами и трудностями. У кого-то они в одной сфере, у кого-то в другой. Но гомосексуальность — это тяжелое нарушение человеческой сексуальности.

Собчак: Хорошо, но если человек родился таким?

Священник Кирилл Горбунов: Есть люди, у которых предрасположенность к гомосексуальности очень сильная, заметная, но при этом они делают сознательный выбор в пользу гетеросексуальных отношений.

Красовский: Значит, если гей не покаялся, иди из церкви к черту?

Священник Кирилл Горбунов: В церкви присутствует немало людей, которые объективно нахо-

Ксения Собчак

дятся в состоянии греха. Например, есть там люди, которые, имея предыдущий брак, вступили в другой брак. Эти люди могут приходить в церковь, они могут молиться.

Красовский: А вот кто с точки зрения церкви больше грешник: гей, который живет со своим парнем в течение двадцати лет и не блудит? Или гетеросексуальный женатый мужик, который снимает проституток каждые выходные?

Священник Кирилл Горбунов: Так в том-то и дело, что однополый секс — это блуд по умолчанию. С точки зрения материи разницы никакой нет. Вопрос только в том, что существует свобода принятия некоего осознания. Если человек идет к проститутке, я могу иметь дело с сексоголиком, например. Человек, который осознает, что он в отчаянной ситуации, он предает жену, он предает детей, и он не может с собой ничего поделать.

Собчак: Или вы имеете дело с таким же геем, который ничего не может с собой поделать, потому что он любит мужчину. Вы им одинаковую епитимию назначите или все-таки разные?

Священник Кирилл Горбунов: Ну, если говорить о сексоголике, то я пошлю его на группу анонимных сексоголиков.

Красовский: А с геем вы как поступите?

Священник Кирилл Горбунов: Что касается человека с серьезными гомосексуальными проблемами, я не знаю, куда его послать. Мне некуда его послать, и мне нужно будет с ним разбираться. Одна из вещей, которые нужно понимать: сексуальная жизнь — это ценность относительная. Я сам целибатный священник, который не живет сексуальной жизнью. Согласно современному менталитету, человек, лишенный сексуальной жизни, просто несчастен по умолчанию, инвалид и т. д. А я знаю на собственном опыте, что это не так.

Собчак: Кстати, да, вот я вчера была в бане, и мне баня больше секса нравится. Но с другой стороны, целибат — это же нарушение природы человека. Человек создан с определенным набором инстинктов, гормональным фоном.

Священник Кирилл Горбунов: Монашество — это вещь, которая существует в огромном количестве разных культур. Человек жертвует проявлением своей сексуальности ради некой более высокой цели.

Собчак: А ваша вера, помимо восприятия книг, держится на каких-то еще мистических опытах? На каких-то вещах, которые через молитву стали вам доступны? Я вот знаю по себе: я не религиозный человек, но верующий, и верующим человеком я стала только тогда, когда я прошла некий мистический опыт, почувствовала какие-то вещи...

Священник Кирилл Горбунов: Мне кажется, когда человек занимается медитацией, молитвой, он просто понимает, что он гораздо более сложно устроен, чем на первый взгляд кажется. Что у него есть не только материальное тело и какая-то психика, но и что-то еще. Это такой опыт, который доступен множеству религий. Но церковь говорит, что не нужно придавать этому большого внимания, потому что в христианской вере это не имеет большого значения. Если вспомнить образ самого Христа и заповеди блаженства — это о том, что не моя жизнь является главной. Добровольный отказ от самоутверждения ради утверждения правды и царства божьего. И на практике это проявляется через бескорыстие, через прощение, через осознание того, что в мире нет людей чужих для меня.

Красовский: Вот странно, что вы при этом ни разу не произнесли слово «любовь».

Священник Кирилл Горбунов: Это все и называется любовью. Просто любовь — это все-таки такая вещь, которая очень сильно эмоционально окрашена. Люди часто под любовью понимают, что я должен ко всем испытывать такое чувство, как нежность. Но я думаю, что все то, что я сейчас описал, это одним словом называется — «любовь».

— Этот, конечно, самый человекообразный, — прошептала Собчак, выйдя во двор.

— Согласен, — вздохнул Красовский, — если б я сейчас еще думал, что Богу есть дело до церкви, я б в католики пошел.

— Ну они ж, видишь, все равно геев не принимают.

— Знаешь, Ксюш, я и сам не очень понимаю, зачем в пятницу идти в гей-сауну, а в воскресенье к Литургии. Мне кажется, это такая милоновщина наоборот: он считает, что Бог геев ненавидит по-любому, а некоторые геи, что Бог их по-любому любит. Я, может, с ними и согласен. Бог-то, ясное дело, любит, но почему ты сам при этом влюблен в каждый свой порок, мне совершенно непонятно.

— То есть религия должна воспитывать ненависть к самому себе, что ли?

— Да просто надо как-то критично себя воспринимать. А то у нас тут даже президент считает, что ему в жизни не о чем сожалеть. Ну что я могу сказать? Везука ему. Я вот каждый день что-нибудь такое делаю, о чем потом сожалею.

— Ладно, поехали к евреям. Там же евреи после латинян к Владимиру пришли?

— Ну не совсем евреи. Скорее, иудеи. Хазары. Им Владимир заявил: на черта вы ко мне домой приперлись, если свой собственный дом потеряли? Но сейчас-то, видишь, обрели. Может, что-то интересное расскажут.

Обрезаться, не есть свинины и заячины, соблюдать субботу

— т +

Неподалеку от мечети, на той же самой Поклонной, там, где по субботам не пройти в толпе роллеров, пристроилась синагога. Над входом — благодарность меценату Владимиру Гусинскому. Внутри на торжественном месте на фоне пианино — человек в кипе. Когда-то человек назывался главный раввин СССР Адольф Шаевич. Сегодня место главного раввина оттерли хасиды, но место перед Богом есть у всех.

Собчак: Когда стало известно, что Хилари Клинтон баллотируется в президенты Америки, второй новостью в русском Яндексе стало обсуждение вопроса, что, возможно, Хилари Клинтон еврейка. Вы ощущаете, по-прежнему антисемитизм в России?

Адольф Шаевич: Бытовой — да, конечно. Мне приходилось встречаться с людьми, которые никогда в жизни евреев не видели, но все равно негативно к ним относились. Разговаривая со мной, они даже не представляли, что я еврей. А потом рассказывали, что хотя евреев они не видели, но знают, что они плохие…

Собчак: А вам не кажется, что все это происходит из-за того, что еврейская нация такая замкнутая? Вы никого к себе не впускаете, а потом удивляетесь, что вас не любят.

Адольф Шаевич: Кто не пускает? Любой человек может стать евреем.

Собчак: Но это сложно достаточно.

Адольф Шаевич: Это сложно. Потому что мы считаем, что выполнять заповеди Всевышнего — это честь и привилегия еврейского народа.

Собчак: Значит, замкнутые.

Красовский: А не считаете ли вы, что оказываете плохую услугу самому Господу, если огромное количество людей на планете от этой службы отвергаете?

Адольф Шаевич: Нет. Почему? Мы единственный народ, который получил учение от Самого Всевышнего, в отличие от всех других. У нас есть документальное подтверждение, наша Тора. Бог передал это Моисею, а Моисей передал дальше, и вот это до нас и дошло. И мы считаем, что те заповеди, которыми обязал нас Всевышний, — а их 612, — совершенно не легкая ноша. А всем остальным Всевышний дал всего семь заповедей, есть такое понятие: «семь заповедей сыновей Ноаха».

Собчак: То есть остальные могут соблюдать только эти семь заповедей? И они находятся в том же положении, как и еврейские праведники?

Адольф Шаевич: Нет. К евреям особое отношение. Написано прямым текстом: Вы царство священников, иудейский народ, и для этого Я вас вывел из Египта, для этого спас от рабства, чтобы вы служили Мне, несли слово Божье всем народам.

Собчак: Теперь очевидны истоки ненависти. Вы представьте, что людям сразу говорят: есть некая ВИП-ложа, туда пускают только избранных и попасть туда при жизни тоже очень сложно.

Красовский: А вы правда считаете, что можно быть к Богу ближе, если не есть свинину, но есть саранчу?

Адольф Шаевич: Нет, почему?

Красовский: А зачем тогда нужен ваш кашрут?

Адольф Шаевич: Свинина запрещена евреям, свинина запрещена мусульманам. Есть такие вещи, которым, скажем, нет логического объяснения до сих пор. Есть тысячи комментариев на эту тему, и никто не пришел к единому мнению, но вот запрет написан: не есть свинину. В Торе много таких вещей, которые до сих пор, к сожалению, великие умы не могут рационально объяснить, и поэтому их принимают только на веру.

Собчак: Какое есть рациональное объяснение тому, что женщине нельзя здороваться за руку и она должна сидеть у вас в синагоге на галерке?

Адольф Шаевич: Тут чисто гигиенические вещи: женщина считается нечистой в дни очищения, когда у нее менструальный период, и в этот период муж с ней не может спать в одной кровати. На эту тему целая глава Талмуда написана.

Красовский: То есть вы о женщине думаете, когда вы ее на балкон отсылаете?

Адольф Шаевич: Нет. Естественно, женщина отвлекает от молитвы.

Собчак: О, ну это вы как мусульмане, точь-в-точь. А почему не мужчины отвлекают женщин от молитвы? Мне кажется странной постановка вопроса.

Адольф Шаевич: Потому что женщинам не надо выполнять те заповеди в молитве, которые выполняет мужчина. Мужчина каждое утро накладывает филактерии, коробочки такие на руки, на голову, талес одевает, женщинам это все не нужно. Женщина не обязана каждый день посещать синагогу. Три раза в день мужчина должен молиться. Обязательно. А женщина по желанию может.

Красовский: Почему такой сексизм чудовищный, абсолютно первобытный? Ну вы же не «Исламское государство».

Адольф Шаевич: На женщине масса проблем домашних: дети, хозяйство.

Красовский: На Западе огромное количество женщин-раввинов, как вы к этому относитесь?

Адольф Шаевич: Отрицательно.

Красовский: Почему?

Адольф Шаевич: Ну опять же по тем же проблемам: потому что женщина не могла прийти в храм в те дни, когда она нечиста. Есть гигиенические законы, по которым женщина должна жить.

Красовский: Откуда законы появились?

Адольф Шаевич: Из Торы.

Красовский: Ну что значит «из Торы»?! Вы читаете текст, который написан хрен знает кем, хотя допустим, что он Господом ниспослан. И у вас там написано: «Саранчу ешь, пауков не ешь, женщина — нечистое существо, сажай ее на балкон». У вас там и про рабов написано, вы там по вашей Торе этих самых женщин или мужчин камнями закидывали, как это сейчас делают в «Исламском государстве». Я вас сейчас слушаю и понимаю, что если бы не было европейской цивилизации, которая запрещает забрасывать людей камнями, то вы бы и сейчас их забрасывали.

Адольф Шаевич: Должен сказать, что вы плохо читаете Тору. Могу вам рассказать, что никогда никого камнями не закидывали. В истории не было такого. В Торе написано, что отступников нужно закидывать камнями, но в практике никогда этого не было. Это на практике неправильно. Не было, наверное, такого случая, чтобы нужно было кого-то действительно забрасывать камнями до такой степени… В книгах исторических у нас написано, что эти законы никогда не применялись на практике.

Красовский: Но Марию-то Магдалину забрасывали.

Адольф Шаевич: Но, во-первых, это ваши книги, во-вторых, не забросали же.

Собчак: У вас чуть-чуть двойные стандарты, какая-то часть правил исполняется, а часть правил не исполняется, это странно.

Адольф Шаевич: Для евреев, живущих в диаспоре, и для евреев, живущих на Святой земле, совершенно разные подходы к заповедям. Многие заповеди относятся именно к живущим на земле Израиля. А мы живем в другом государстве, для нас закон государства первоочередной.

Красовский: То есть для вас закон Путина важнее, чем закон Господа?

Адольф Шаевич: Нет. У нас есть религиозные свои законы, которые государство не мешает нам исполнять. Законы государства для евреев в Америке, в Англии и во Франции первоочередные. В Израиле совсем другое дело. Скажем, в Израиле нет совершенно гражданских браков, только религиозные браки.

Красовский: Хотя при этом государство Израиль признает гей-браки.

Собчак: Нет, смотри. Израиль — это государство религиозное. Ты не можешь получить лицензию на гостиницу, если не подписываешь обязательство, что ты кашрут будешь соблюдать.

Во всех отелях Израиля, даже в пятизвездочном «Ритц-Карлтоне», ты не можешь кофе с молоком, они там соевое молоко какое-то придумывают, по всей стране. При этом там гей-парады, огромные гей-комьюнити, там все очень терпимо. У вас почти религиозное государство, но при этом такая толерантность?

Адольф Шаевич: Ну, ортодоксальная община очень негативно относится ко всем этим проявлениям.

Собчак: Но все-таки ответьте: почему, притом что по сути Израиль — религиозное государство, но я сама была свидетелем, в Шаббат проходит гей-парад огромный по всему Тель-Авиву, все радостные, веселые. Как это сочетается?

Адольф Шаевич: Плохо сочетается. Мы категорически против всех этих...

Красовский: Бесчинств. Почему, с вашей точки зрения, так произошло? Ваша религия пронесена через тысячелетия изгнания, вам вернули Землю обетованную, вы наплевали на это дело и сделали обычное светское государство по американскому образцу, тамдух абсолютного либерализма и свободы ощущается.

Адольф Шаевич: Да, и это очень плохо.

Красовский: Либерализм и свобода — вы считаете, это плохо?

Адольф Шаевич: Нет, свобода и либерализм имеют свои границы. Для религиозного человека написано четко, что мужеложество — это величайший грех, за который можно опять же закидывать камнями. Сегодняшний Израиль — не идеальное государство.

Красовский: А каким, с вашей точки зрения, было бы идеальное государство?

Адольф Шаевич: Живущим по заповедям.

Красовский: Мусульманское государство Иран живет по заповедям.

Адольф Шаевич: Настоящие мусульмане, которые действительно живут по Корану, совершенно никаких возражений не вызывают.

Собчак: Давайте так. Вот есть Бог, и он дал вам и мусульманам заповеди. Что-то у вас разное, но и та и другая религия свинину запрещает есть, вы и мусульмане это соблюдаете. Есть заповедь: закидывать камнями гомосексуалистов; они соблюдают, а вы нет. Может быть, они более последовательны?

Адольф Шаевич: Скажем, я одобряю их отношение к гомосексуалистам, к сексуальным меньшинствам.

Красовский: То есть нормально — вешать? То есть вешали бы сами?

Адольф Шаевич: Сам бы не вешал, но тех, кто вешает, поддержал бы.

Красовский: Слава Богу, мы наконец-то нашли границу, куда дошел либерализм. Значит, педиков вешаем.

Собчак: А если мужчина изменяет? Тоже есть какое-то наказание, но оно гораздо менее строгое, чем когда изменяет женщина. Это правда?

Адольф Шаевич: Не важно, кто кому изменяет, это одинаково плохо для семейной пары…

Красовский: «Одинаково плохо для семейной пары» — это вы в семейной консультации рассказывайте, а мы про законы Божьи.

Адольф Шаевич: Есть раввинский суд, который рассматривает все эти вещи. Никакой смертной казни за измену мужчины женщине или за измену женщины мужчине нет. В древние времена женщина предавалась анафеме, ее изгоняли из стана. И мужчину тоже наказывали, изгоняли тоже. За эти вещи не убивали.

Красовский: Понятно, что любая религиозная конфессия ведет себя исходя из тех законов и моральных представлений, которые сейчас на территории страны существуют. Я с трудом себе представляю, чтобы раввин Шаевич сказал, что надо гомосексуалов вешать, находясь сейчас в Америке или даже в России 15 лет назад, до Путина. Как, с вашей точки зрения, изменилась жизнь иудаизма в России? Вот, например, я помню, что главным раввином был Шаевич, а сейчас главным раввином России считается Берл Лазар. Кто принимает решения о том, кто главный раввин?

Адольф Шаевич:

«Готов ответить за базар,
Задета честь не девичья —
Раввин кремлевский Берл Лазар,

А я люблю Шаевича», — написал один мой друг. Это, честно вам говорю, никакого отношения к религии не имеет.

Собчак: Давайте подытожим наш разговор. Мы приурочили наш разговор к тому, как князь Владимир выбирал правильную религию для будущей тогда России. Вот чем вы лучше? Почему человек должен проникнуться идеей вашего направления иудаизма, а не православия или католической церкви?

Адольф Шаевич: Не должен. Для евреев нет лучшей религии, чем иудаизм, точно так же как для христиан нет лучшей религии, чем христианство.

Красовский: В общем, эта религия создана для евреев, и вы ощущаете ее такой национальной религией.

Адольф Шаевич: Совершенно верно.

В парке моросило.

— Знаешь, — буркнул Красовский, — я понял теперь, что конфликт мусульман с евреями — это как у русских с украинцами. Одна херня, только вид сбоку. Даже глубоко копать не надо: дай им волю, они и тебя, и меня прямо с крыши их «Хилтона» тель-авивского скинут.

— Но ведь не скидывают, ведь там-то как раз правда демократия и толерантность. Это потому что их Бог любит.

— Это потому что их американцы любят. И не дают им заповеди своего Бога исполнять. Исключительно, Ксюш, по любви.

— И ты, Красовский, про Америку. Всюду вам мерещится Обама.

— Я русский, и это многое объясняет.

Философ

— Только не руби сразу Чаплина, — написала на следующий день Собчак, — он смешной.

— Да почему ж я должен его рубить? Батюшка наш митрофорный протоиерей Всеволод — суть современного русского православия. Многим кажется, что он — исчадие ада, но он, пожалуй, один из немногих, кто не лицемерит, не врет про любовь, терпимость, надежду. Не мир отче наш несет, но меч. Поехали к Чаплину! Ты ж все равно в православные-то не пойдешь.

Через пару часов искатели веры встретились у входа в неприметный особняк в районе Трехгорной мануфактуры. На втором этаже, в жэковском царстве линолеума и настенных календарей сидел тот, к кому интеллигентная публика уж точно бы не пошла в поисках веры. Но где интеллигенты, а где наши герои?

Собчак: Мы поговорили с представителями всех основных конфессий, остались теперь только вы как представитель православной церкви. Собственно, вот в чем главный вопрос: чем, на ваш взгляд, православие лучше остальных религий?

Протоиерей Всеволод Чаплин: Это единственная истина.

Собчак: Это мы к кому ни придем, все говорят: наша — единственная истина.

Протоиерей Всеволод Чаплин: Да-да-да. В этом, собственно, отличие верующего человека от неверующего: он считает, что Бог открыл ему то, что он открыл. Вообще, если Христос не умер и не воскрес, смысла в жизни нет. Это можно принимать, можно не принимать.

Собчак: В это же верят и католики, правильно я понимаю?

Протоиерей Всеволод Чаплин: Да.

Собчак: А чем все-таки православная религия, на ваш взгляд, правильнее, чем католическая?

Протоиерей Всеволод Чаплин: Католики — христиане, и я не считаю, что они лишены присутствия духа Божьего в своей жизни. Но при этом есть одна проблема, которую я бы выделил из всех тех богословских различий, которые у нас есть: духовность заменяется душевностью. Мы немножко похожи на мусульман тем, что у нас такое строгое мировосприятие. Когда с молитвой смешивается эмоциональность, душевность — это цепляет некоторых людей. Душевность может подменить собой духовность.

Красовский: Давайте тогда вернемся к выбору святого князя Владимира. Святой князь Владимир выбирает, в общем, нечто утилитарное. Он выбирает товар. Он выбирает: быть с Западной Европой или быть с Византийской империей.

Протоиерей Всеволод Чаплин: По-моему, его выбор был гораздо менее рационален, чем это потом разложили на части. Он послушал послов, которые просто попали в храм и поняли, что им там хорошо.

Собчак: Слушайте, это большая политика все равно. «Нам там стало в храме хорошо» — мне кажется, не аргумент.

Протоиерей Всеволод Чаплин: А почему вы так верите, что все определяется только большой политикой? Он-то сначала стремился консолидировать язычество, что, кстати, и произошло. Может быть, конечно, он поумнел за те примерно пять лет, которые отделяют его от попытки собрать вместе языческих богов и унифицировать их. Но вот не думаю я, что здесь был только расчет. Вообще, самые сногсшибательные истории успехов в мировых процессах — это истории безнадежности: еврейская история, протестанты, которые создали Америку. Тут не было расчета. Когда ты присоединяешься к сильному, ты обычно проигрываешь. А когда вдруг понимаешь, что у тебя есть возможности своей, цинично говоря, игры, а правильно говоря, миссии, у тебя гораздо больше получается. Да, Византия, то есть Восточная Римская империя была тогда сильным государством. Наверное, хазары были, в принципе, не слабые. Большая была штука, да, с меньшей там исторической укорененностью и так далее. Запад тоже был неслабым тогда, да? Расчет был не главным, потому что человек увидел идею, некую поступь истории. Он на самом деле тогда одержал над ними победу.

Красовский: А сейчас-то зачем выбирать православие?

Протоиерей Всеволод Чаплин: А вот затем же: чтобы перевернуть историю.

Красовский: Снова?

Протоиерей Всеволод Чаплин: Снова, конечно. Россия без глобальной миссии — это чушь.

Собчак: Так какая сегодня миссия у России?

Протоиерей Всеволод Чаплин: Изменить историю. Сделать ее основанной не на общественном договоре, а на Божьей правде. Во всем: в экономике, в политике.

Красовский: А это как? Ну, по пунктам? Что такое «Божья правда» в экономике?

Протоиерей Всеволод Чаплин: Отказ от принципа «деньги делают деньги».

Красовский: А что тогда делает деньги?

Протоиерей Всеволод Чаплин: Их инвестируют в проекты и получают от проектов деньги. Как всю историю делали все нормальные люди до того, как люди ненормальные ввели фондовый рынок.

Красовский: Получается, что банк ВТБ — это неправильная форма экономики, а, например, Apple — правильная?

Протоиерей Всеволод Чаплин: Да. Банков вообще в этой системе на самом деле быть не должно. Должны быть расчетные центры, где люди, имеющие личные деньги, могут их ссудить на тот или иной бизнес-проект. При этом, конечно же, получая прибыль и контроль. Деньги делают некий проект, и уже проект делает деньги. У нас сейчас получается так, что основная прибыль достигается в сфере финансовой экономики, в которой деньги делают деньги вообще без участия человека. Это не может не рухнуть.

Собчак: То есть закрыть биржи, банки...

Протоиерей Всеволод Чаплин: Предложить другую систему: отказа от процентов. Нам это по силам. Мы предложили экономическую систему социализма. И если бы не военное влияние на ситуацию со стороны Запада…

Красовский: Опять Америка.

Протоиерей Всеволод Чаплин: Эту ситуацию решили не экономическими методами, а методами военного и политического давления. Иначе социализм бы уже был во всем мире, потому что это лучший строй.

Собчак: То есть вы — люди, которые были гонимы в коммунистические времена, — защищаете социализм?

Протоиерей Всеволод Чаплин: Конечно, социализм нам нравится...

Красовский: Я знал, что будет хороший разговор.

Протоиерей Всеволод Чаплин: ...Эту систему нужно было освободить от атеизма. Это правовая

Ксения Собчак

система, которая была основана на христианской контуиции.

Красовский: То есть, ежели социализм, то есть экономическое учение Маркса, объединить с государственным православием, получится идеальная система?

Протоиерей Всеволод Чаплин: Объединить с сильной центральной властью, которая всегда собственно православные традиции выражала.

Красовский: Сильная центральная власть была все эти годы — Сталин был...

Протоиерей Всеволод Чаплин: Да. И это была как раз православная модель. В ней неправильным было только безбожие. Сильная центральная власть и мощный акцент на справедливость. В том числе экономическую и социальную. Это была православная модель. Я даже думаю, что, если бы не было революции 1917 года, некая форма социализма возникла бы в России.

Красовский: Что пошло не так? В какой момент?

Протоиерей Всеволод Чаплин: Когда внешние силы стали в России слишком много значить. Именно так.

Красовский: То есть не Сталин виноват, а Черчилль с Рузвельтом опять?

Протоиерей Всеволод Чаплин: Виновато воздействие внешних сил, которые привели Ленина к власти. Отчасти, к сожалению, виновато то, что православные люди слишком благодушествовали и отказались от жесткого силового сопротивления той разрушительной силе, которая оседлала стремление народа к справедливости. Но Троцкий с компанией не могли долго управлять Россией. Именно поэтому Сталин, который изначально стоял в одной линейке с Лениным и Троцким, потом из этой линейки вышел, и правильно сделал.

Собчак: Вещи, которые вы говорите, сегодня имеют очень много исторических параллелей. Можно ли сказать, что сегодня нам тоже Сталина не хватает?

Красовский: Или Путина вполне достаточно?

Протоиерей Всеволод Чаплин: Я думаю, что как в свое время Сталин вышел из линейки «Ленин, Троцкий и прочие», просто потому, что работать в этой линейке и оставаться у власти в России было нельзя, так и Путин сделал правильно, что он вышел из линейки известных по 1990-м деятелей. И чем дальше он от нее будет отходить, тем лучше. Чем больше он будет готов выступать самостоятельно, не оглядываясь на прагматиков, тем лучше.

Красовский: Прагматики не имеют права принимать участие в управлении Россией?

Протоиерей Всеволод Чаплин: Они имеют право участвовать в управлении Россией, но они не имеют права говорить, что их идеи — это безальтернативные законы, по которым должна жить страна.

Красовский: А кто имеет право так говорить?

Протоиерей Всеволод Чаплин: В прагматической линейке вообще никто не имеет такого права. А вот высшая власть имеет. «Таково наше видение, так велит Бог».

Красовский: А высшая власть — это кто?

Протоиерей Всеволод Чаплин: Как правило, в России это верховный правитель, называется он по-разному. Сегодня это Путин. Смотрите, система, в которой есть сильная центральная власть, обычно персонифицирована, даже если это не православная церковь. Кстати, православные люди нормально жили при монархах, которые не были православными.

Собчак: Ну, понятно. Вы просто ссылаетесь на социалистическую модель в Советском Союзе, что «если бы усы Ивана Ивановича, да к ушам Ивана

Петровича». А я не понимаю, зачем вообще туда смотреть — в прошлое. Есть современность. Есть скандинавские страны, где прекрасно реализована социальная социалистическая модель — Швеция, Норвегия.

Протоиерей Всеволод Чаплин: Это тоталитарные страны. У них там меньше свободы, чем у нас. Скажешь, что однополые браки — это плохо, и тебя посадят в тюрьму.

Красовский: Так или иначе мы все равно приходим к теме пидорасов.

Собчак: Общая-то суть ясна: там высокий уровень ВВП, хорошее качество жизни, хорошая экология, все живут примерно на одном уровне.

Протоиерей Всеволод Чаплин: Нет там свободы.

Красовский: Нет свободы — это значит, что пидоров вешать не дают?

Протоиерей Всеволод Чаплин: Это возможность построить такую экономическую модель, которая была в Советском Союзе, то есть полностью своя банковская система, возможность не зависеть ни от Уолл-стрит, ни от Центробанка.

Красовский: То есть финансовая изоляция?

Протоиерей Всеволод Чаплин: Почему обязательно изоляция? Независимый проект — это не изоляция, а попытка глобальной конкуренции. Попытка выстроить другой мир. Another world is possible.

Собчак: У меня один вопрос: а как можно, на ваш взгляд, построить собственную глобальную систему экономики, ничего, по сути дела, не производя?

Протоиерей Всеволод Чаплин: Самое главное — производство смыслов. Ну подождите, оружие, говорят, у нас неплохое...

Красовский: Всего на 9 миллиардов долларов продали в прошлом году русского оружия.

Протоиерей Всеволод Чаплин: Ну подождите... Насколько я понимаю, оказалось, с ним никто особенно справиться не может.

Красовский: Несчастные жители Украины, что ли, с ним не могут справиться?

Собчак: Мы не производим ни одного конкурентоспособного продукта.

Протоиерей Всеволод Чаплин: Это не так. Самолеты нормальные делаем.

Собчак: Самолеты мы не делаем. Уже давно летаем на чужих самолетах, ребята, вы чего?

Протоиерей Всеволод Чаплин: Не обязательно иметь материальный результат. Смысл важнее.

Собчак: То есть мы будем мировую экономику строить на смыслах?

Протоиерей Всеволод Чаплин: А будут смыслы — закрутится и промышленность, и интеллектуальная сфера гораздо быстрее.

Собчак: Каково же наше уникальное торговое предложение? Назовите пять смыслов конкурентоспособных.

Протоиерей Всеволод Чаплин: Пять смыслов, да? Деньги выделяются без процентов. Ростовщичество ограничивается. Это если говорить об экономике. Дальше — умеренность. От идеи якобы неизбежного роста нужно отказываться. Про рост экономики нужно забыть.

Собчак: Смотрите, отец Всеволод: приходит, условно, Америка, и предлагает свой проект экономики. Говорит: вот наши производительные силы. Вот наш Microsoft, вот наш Apple, вот наша биоинженерия, вот наши технологии в области медицины — вот из чего это состоит. А дальше приходим мы с листком, где написано, что надо запретить ростовщичество.

Протоиерей Всеволод Чаплин: Они действуют только благодаря военной силе. А экономически Америка банкрот.

Собчак: Понятно.

Красовский: Давайте вернемся к будущему России. Значит, идеальное будущее России при социалистической системе?

Протоиерей Всеволод Чаплин: Государство справедливости и сильная центральная власть, которая советуется с народом, но все равно имеет возможность принимать решения, исходя из того, что есть высшая правда. Высшая правда важнее, чем голос народа.

Красовский: Ну вот как Путин понимает свою высшую правду?

Протоиерей Всеволод Чаплин: Один еврей мне сказал как-то: наш папочка достаточный сумасброд, пытаться понять его логику нельзя.

Красовский: Сейчас для России лучше монархия или выборная демократия?

Протоиерей Всеволод Чаплин: Я думаю, что квазимонархическая система лучше. И мы к ней постепенно будем идти. Монархия сегодня вряд ли возможна. Но чем дальше Путин будет выходить из линейки, о которой я вам рассказал, тем мы будем ближе к нормальному государственному устройству.

Красовский: Куда он еще дальше должен выходить из линейки? Куда идти? Сейчас уже война в Украине, Крым... Что следующее?

Протоиерей Всеволод Чаплин: Ну, глобальные проекты, условно говоря.

Собчак: Третья мировая, то есть? Как уговорить людей-то воевать?

Протоиерей Всеволод Чаплин: Самый главный враг России сегодня — это не НАТО и не Америка. Это обыватель, которого нужно вытащить из его норы. Надо его убедить в том, что жить только ради кошелька и брюк неинтересно.

Красовский: Как будете убеждать?

Протоиерей Всеволод Чаплин: Словом.

Красовский: Серьезно?! Вам никто не поверит.

Собчак: Вы будете выступать против кошелька и брюк, а сидите откормленный, в золотом кресте и в таких хороших штанах. Как это получается: пчелы против меда?

Протоиерей Всеволод Чаплин: Ну, я родился толстым, очевидно, толстым и умру — есть такая беда. А так вы знаете, как-то что-то считаю себя вправе говорить, что умеренность лучше, чем неумеренность, и жить ради земных вещей точно глупо.

Красовский: Жить комфортно — глупо?

Протоиерей Всеволод Чаплин: Жить ради того, что кончается, глупо. А комфортно — плохо.

Собчак: А почему плохо-то в комфорте жить и думать при этом о высокодуховных вещах?

Протоиерей Всеволод Чаплин: А потому, что если Господь человека любит, то он его постоянно испытывает, он его бросает из мира в войну, из болезни в здоровье, обратно в болезнь, из безопасности в опасность. Если общество живет спокойно, сыто, самодостаточно и самоудовлетворенно, это значит, что Бог его бросил.

Собчак: Падение нефти и так далее — это Бог нас любит? Не оставил?

Протоиерей Всеволод Чаплин: Кстати, да. А вам нужно спокойствие пенсионеров, спокойствие медленного умирания, как в Северной Европе?

Красовский: А вам хочется, чтобы было весело, чтобы движуха какая-то? Вот у нас сейчас тоскливо, а в Дебальцевском котле движуха?

Протоиерей Всеволод Чаплин: Там просто открываются у людей лучшие качества.

Красовский: То есть братоубийственная война в Украине — это хорошо? Ополченцев благословляете?

Протоиерей Всеволод Чаплин: Еще раз, война — это всегда плохо, но лучше война, чем сытая самоуспокоенность. Лучше страдания, чем горделивая самоуверенность. Лучше война, чем несправедливый мир.

Красовский: А Россия должна проводить такую военную экспансию по всему миру?

Протоиерей Всеволод Чаплин: Думаю, что нет. Смысл важнее. При помощи смыслов можно приобрести гораздо больше и людей, и территорий, что у нас всегда и получалось, кстати. Нужно уметь защищаться, но военная агрессия обычно всегда кончалась плохо для того народа, который ее раз-

Ксения Собчак

вязал. Я боюсь, что для нынешней западной цивилизации, которая действует военной силой на самом деле, это тоже кончится плохо. Агрессоры всегда плохо кончали в истории.

Красовский: Вы не считаете, что православная церковь, в широком смысле православная церковь теряет свои позиции сейчас в Украине? Что огромное количество людей переходят к униатам?

Протоиерей Всеволод Чаплин: Перехода массового нет никакого. Но даже если у нас там от десятка тысяч приходов останется десять, главное в том, что в этих десяти храмах или в десяти квартирах или в десяти подвалах будет жить свободная православная цивилизация. Которая сама, а не под диктовку Евросоюза или мировых экономических информационных центров власти, будет выстраивать свой путь в истории.

Красовский: А почему вы все время говорите про мировые экономические центры власти? Вы же про Бога должны быть!

Собчак: Это же не ваша тема.

Протоиерей Всеволод Чаплин: Наша тема — всё, господа. Вот теперь как.

Красовский: То есть вы теперь отвечаете за банки, за почту, за телеграф?

Протоиерей Всеволод Чаплин: Всегда Церковь отвечала за нравственную оценку любых сфер человеческой жизни. Проблема мироустройства именно в том, что несколько семей закрутили экономическую систему по своим правилам.

Красовский: Это Ротшильды, что ли, захватили? Евреи?

Протоиерей Всеволод Чаплин: Несколько семей, они вам известны. Федрезерв — это организация, которую никто не избирал. Организация, которая условно легитимна с точки зрения законов США и очень нелегитимна в нравственном отношении. Существование этой организации и ее неподотчетность никому, это говорит о том, что демократия — это миф.

Красовский: При чем тут душа-то наша? Вы думаете о Христе, о встрече с Христом? Почему вы говорите только о Ротшильде и о мировой финансовой системе?

Протоиерей Всеволод Чаплин: То, что вы едите, определяет то, что вы есть. Поведение в экономической сфере определяет то, что происходит в вашей душе. И те, кто закрутил нынешнюю мировую экономику и так называемую демократию, очень хорошо это понимали.

Ксения Собчак

Собчак: Послушайте, вы так много и хорошо говорили о верховном правителе. А вы не боитесь, что когда рухнет власть этого человека, а это все равно произойдет в каком-то обозримом будущем, люди не вечны...

Красовский: Ты чего хоронишь своего крестного папу?!

Собчак: ...Вам не кажется, что когда система рухнет, ваша власть — власть православной церкви над умами людей — рухнет вместе с этим режимом?

Красовский: У тебя правда есть ощущение, что у православной церкви есть власть над умами людей?

Собчак: Какая-то еще есть, потому что есть люди, которые это все действительно связывают вместе, но когда это все рухнет, мне кажется, это рухнет все вместе.

Протоиерей Всеволод Чаплин: Говорили то же самое при советской власти. При ней достаточно нормально жило духовенство и советские чиновники. И советские чиновники говорили духовенству: вот не будет нас, и тогда вас замучают те или иные силы. Уходила власть, приходила власть, как-то вот осторожно обходились с церковью. Даже в 1917 году.

Собчак: То есть придет, условно, Навальный к власти, и будете с ним?

Красовский: Даже если он назначит Собчак Верховным главнокомандующим?

Протоиерей Всеволод Чаплин: И будем слушать власть, если Господь действительно попустит вас в качестве верховного правителя. Ну куда мы денемся, значит, вот так. Если попустит Господь.

Красовский: Исключительно в качестве испытания, Ксения.

Протоиерей Всеволод Чаплин: Испытания — это же благо, мы с вами об этом говорили.

Содержание

Литературно-художественное издание

18+

Ксения Собчак
ПРОТИВ ВСЕХ

Ответственный за издание *И. Данишевский*
Ведущий редактор *В. Кольцова*
Редактор *Е. Писарева*
Составитель *А. Алексенко*
Дизайн обложки *В. Лебедева*
Верстка *А. Грених*

Подписано в печать 25.12.2017.
Формат 60x90/16. Усл. печ. л. 20.
Тираж 25 000 экз. Заказ № 3967.

Общероссийский классификатор продукции
ОК-005-93, том 2;
953000 — книги, брошюры

ООО «Издательство АСТ»
129085, РФ, г. Москва, Звездный бульвар, д. 21, строение 1, комната 39

«Баспа Аста» деген ООО
129085 г. Мәскеу, жұлдызды гүлзар, д. 21, 1 құрылым, 39 бөлме
Біздің электрондық мекенжайымыз: www.ast.ru
E - mail: astpub@aha.ru

Қазақстан Республикасында дистрибьютор және өнім бойынша арыз-талаптарды қабылдаушының өкілі «РДЦ-Алматы» ЖШС, Алматы қ., Домбровский көш., 3«а», литер Б, офис 1.
Тел.: 8(727) 2 51 59 89,90,91,92, факс: 8 (727) 251 58 12 вн. 107;
E-mail: RDC-Almaty@eksmo.kz
Өнімнің жарамдылық мерзімі шектелмеген.»
Өндірген мемлекет: Ресей
Сертификация қарастырылмаған

Отпечатано в ООО «Тульская типография».
300026, г. Тула, пр. Ленина, 109.